JN027258

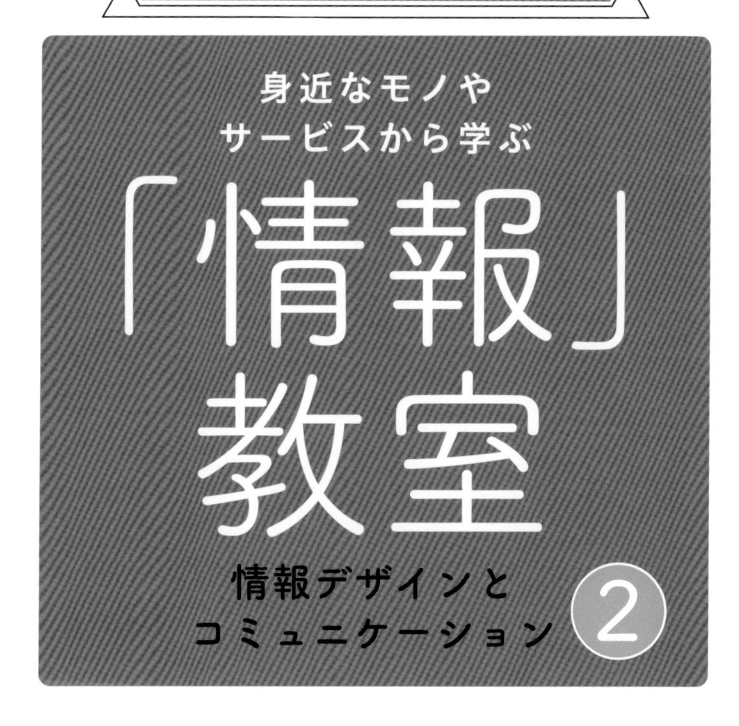

土屋誠司 編／松本和幸 著

創元社

目次

はじめに

「情報」は、常に私たちの身の回りに存在し、身近にあるのに手に取って触れられないものであり、表現の仕方によってどのような形にも変化するものです。このようなつかみどころのない「情報」をわかりやすくかつ正しく伝えることは案外とても難しいことです。情報といっても、ここではコンピュータ上の情報だけを指しているのではありません。人間が関わっているすべてのモノ、コトは情報により表現できます。情報を伝えるために情報の表現を試行錯誤して人間中心のデザインにすることが「情報デザイン」の本質です。

第1巻の前書きにも書かれていましたが、この「情報」教室シリーズは、情報工学者が「物事の本質」を伝える工夫をしていて、まさに情報の専門家による情報デザインの賜物といえます。

第2巻は「情報デザイン」を主なテーマとして書きました。送り手が受け手のことを考えて情報を少しでも伝わりやすくなるようにデザインすれば、送り手も受け手も幸せになれます。一方で、わかりやすく伝える努力をしなければ、誤解や無駄が発生するだけで、お互い何も良いことはありません。

本書では、これまで情報デザインをよく理解できなかった方にも興味を持ってもらうため、なるべく技術的な話は避けました。最近巷を賑わせている最新のコミュニケーションツールや人工知能などの話題にページを割くことで、情報デザインを身近なものとして捉えてほしいと考えたからです。情報デザインという言葉を耳にしたことがある方もない方も、今一度、情報とは何か、情報はどのようにデザインするとよいのか、について考えてみてください。本書で紹介している身近なモノやサービスを通して「情報デザイン」について学び、情報の伝え方を正しく身に付けてくれるとうれしいです。

松本和幸

Chapter 1

情報デザイン

この章で学ぶ主なテーマ

情報デザインの役割
情報の抽象化
情報伝達の方法

「身近なモノやサービス」から見てみよう！

私たちの身の回りを見渡してみると、必ず何らかの「デザイン」があります。例えば、ボールペンなどの文房具一つとっても、持ちやすい形に作られていたり、すべらないようにグリップ部分がラバー加工されていたり、インクの色が外側からもわかるようになっていたり、いろいろ工夫されていますよね。さらに、淡い色を使ったり、柔らかい素材を使ったり、丸みをおびた形状にしたりするなど、使う人の年齢層や趣味嗜好を想定してデザインされていることがあります。同じく、みなさんの身近にあるスマートフォンには、使い方をわかりやすく伝えるための工夫が数多く詰まっています。今や電話するためだけでなく、インターネットにだってつながるし、カメラで動画を撮影したり、ゲームだって楽しむことができる多機能な製品ですから、はじめて使う人にとってもわかりやすくデザインされていなければなりません。スマートフォンで利用できるアプリは、アイコンをうまくデザインすることで、利用者がそのアプリでどんなことができるのかをイメージしやすくしています。

こうしたことは、デザインを通してそのモノの役割や使い方などの情報をわかりやすく示して使いやすくしている、つまり、「情報をデザインしている」と言えます。製品だけではありません。誰かに何かをわかりやすく伝えるために私たちが普段書いている手紙やメールなどの文章、また、自分が見たものを相手に的確に伝えるための手描きの絵や図だって、情報デザインの成果物と言えます。そう、情報のデザインとは、何かを相手にわかりやすく伝えるために必ず必要になる行為なのです。

デザインやデザイナーというと、ファッションやアートの分野でモノや空間の「見た目」を綺麗に飾る人々をイメージする人がまだまだ多いと思われます。また、最近では、コンピュータを使ってデジタルアートや映像などのグラフィックデザイン作品を個人レベルで制作し、インターネットなどで公開する方が増えてきていますが、そのような作品をデザインすることは、見た目を美しく、面白おかしく、奇抜にすることと捉えている方が大半なのではないでしょうか。しかし、本来、情報というのはそのままでは目に見えず、そこに形を与える際に伝える側次第でどのようにでも表現できてしまうものなのです。形だけをいくら綺麗に、奇抜に見えるようにしたところで、伝えるべき内容が伝えたい相手に上手に伝わらなければ情報をデザインしたとは言えないでしょう。

この章では、情報デザインがどんなものなのか、情報をデザインすることでどのような利点があるのか、具体的な例を挙げながら、解説していきます。

1-1

情報デザインの役割

情報デザインとは、人と人とのコミュニケーションを支援するための営みだと言えます。例えば、古代エジプトでは書記という仕事があり、情報を誰かに伝達したり、自分が得た情報をもとに何かを提案したりしていました。この仕事に就いた人は、見聞きした情報をわかりやすく伝えるために、情報をデザインしていたに違いありません。見聞きした情報すべてを書き留めることはできませんから、重要な情報を自ら取捨選択していたでしょうし、自分が伝えたいことに絞って記録していたでしょう。

世界で最初の情報デザイン

情報デザインの最古の例としては、紀元前500年頃にメソポタミアで描かれたとされる地図が有名です。この地図は、粘土板に書かれたものであり、現代の私たちが普段使用しているものとは随分違うのがわかるでしょう。交易や戦争、探検などによって人間の行動範囲が広がるにつれ、地図の用途も変わり、より重要性を増していきました。また、測量技術の発達に伴い、厳密性も高くなっていきました。地図は、今も昔も「世界を情報として捉え、デザインしたもの」であり、今では現実の地理情報をデザインしたものだけではなく、鉄道の路線図や航海図、さらには防災（ハザード）マップ、世界中のインターネットの海底ケーブルのつながりを示したインタラクティブ地図など、あらゆる空間上に存在するモノ・コトの関係性を情報デザインにより可視化したものとして利用されるようになっています。さらには、情報通信技術が発展した現在、目に見えないウェブ上のサイト間の関連を表す地図や、サイバースペース空間内の地図なども登場しています。これらはすべて、広大な空間において道に迷うことなく目的地にたどり着くことができるように、無駄な情報をそぎ落として使う人のことを考えてデザインされたものと言えます。

情報デザインは、この地図の例からもわかるように、誰かに何かをわか

世界最古の地図とされるもの。内円の内側が陸地を表し、中央付近にはバビロンの都市が描かれている。

りやすく伝える役割があります。誰に、何を、どんな状況で伝えたいのかによって、情報デザインの仕方も変わってきます。情報デザインがない世の中を想像してみてください。例えば、地図がない世界は、新しい何かを自分で発見したいと考える冒険心の強い人にとっては好都合なのかもしれませんが、多くの人にとっては不便で非効率でしかないでしょう。

ちなみに、日本で「情報」という言葉が使われ始めたのは明治時代だと言われています。当初は、なんと、軍事における情勢の報告や連絡などを指すものでした。「情報戦」という言葉があるように、戦争やスポーツ競技などにおいて敵国や相手チームに関する情報はとても重要ですよね。また、戦争では相手に情報を伝わりにくくしたり、偽情報を拡散するといったことが戦略としてとられることがあります。通信技術が今のように高度

路線図の例

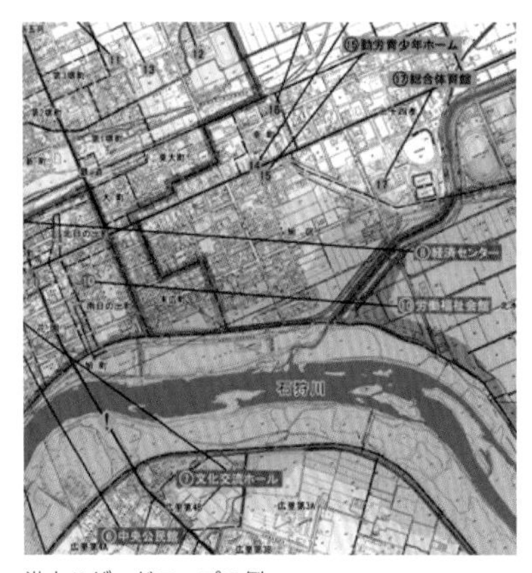

洪水ハザードマップの例
(国土地理院ウェブサイトより
https://www.gsi.go.jp/hokkaido/bousai-hazard-hazard.htm)

化されていない時代、これからどのような軍事行動をするかを相手に読まれないようにするために合言葉や暗号などが考え出されました。今でも安全な情報通信やビットコインなどのデジタル通貨においては暗号や符号化（一定のルールでデータ化すること）の技術が必要不可欠ですし、学問の世界では重要な一分野を築いています。暗号と言うと、一見、情報をわかりやすく伝えるための情報デザインとは正反対のことをしているように見えてしまうので、ちょっと不思議ですよね。

1-2

情報の抽象化

情報をデザインするにあたり、情報をどのように表すのかはとても重要です。情報は形のないものであることはすでに述べた通りですが、情報デザインとは、その形のないものに形を与え、利用者が理解しやすく、扱いやすくすることが目標です。多くの情報は数値の羅列であったり、信号情報やテキストではない**バイナリ形式**（➡P.058）のデータであったりするので、人がそのまま使用することはありません。まず、データを人が認識・理解できる形にすることが必要です。ビッグデータと呼ばれるような膨大なデータになると、うまくまとめて、抽象化することも必要になります。では、情報を抽象化するというのはどのようなことを指すのでしょうか。例えば、バケツの中に水が1リットル入っているとします。この水についての情報をそのまま受け取ろうとすると、水の分子一つ一つ数えて解釈することが必要になってしまいますが、通常、私たち人間は「バケツの中の水」としか解釈できません。解釈の目的によっては､水そのものではなく、バケツの水の容量や重さ、水の温度などに注目していることがあるかもしれません。このように、私たち人間の頭の中では、物事（情報）を、注目しているまとまりごとに1つの単位として認識しています。そのため、情報デザインにおける抽象化では、情報の量や、利用者が注目している情報などに応じて適切なまとめ方や分け方をしないと、その情報に対する理解が難しくなってしまいます。逆に言えば、情報を抽象化する際に、物事の目的・本質を的確に捉えることができれば、より良い情報デザインができるようになると言えます。

情報の抽象化の例 ……………………………………………………

インフォグラフィックスとは、あるひとまとまりの情報を、受け手に理解しやすくするために、具体的なビジュアルによって表現する、視覚的表現のことを指します。言葉だけでは伝わりにくい内容が、図を使うことで理解しやすくなった経験は誰にでもあると思います。ただし、とにかく図さえ使えば理解しやすくなるというものではなく、誰に、いつ、どんな状況で、伝えるのかをよく考えなければなりません。例えば、日本に旅行で訪れたアメリカ人に「お好み焼き」を紹介する場面を考えてみてください。予備知識のない人にもわかるように、どのような食べ物なのかを説明しようと思うと、現物を見せられる状況でもなければ、絵に描いて説明するしかありません。しかし、お好み焼きの見た目からだけでは味や美味しさは伝わりません。アメリカ人になじみのある食べ物（例えばピザ）を引き合いに出して、素材や調理方法などの共通点や違いをうまく表現すれば、よりわかってもらえるでしょう。すべてのことを図で表す必要はありません。ここでは、伝えたい大事なことや共通点を抽象化することが重要なのです。

次の画像は、コロナウイルスの感染状況を世界地図上にインタラクティブに表示したものです。地図の上に線や記号を配置しただけの非常にシンプルな見かけになっていますが、伝えたいこと（コロナウイルスの感染が今どこでどのように増えたり減ったりしているのか）は明確に伝わると思います。このように、情報の可視化を行うときには、いかに簡単かつわかりやすく伝えられるかということ、また、本質的でない不要な情報をそぎ落として抽象化することが重要であることがわかります。

COVID-19 Global Tracker
（https://graphics.reuters.com/world-coronavirus-tracker-and-maps/）

1-3

情報伝達の方法

情報の伝達方法にはいろいろなものがあります。私たちが普段、何か情報をやりとりする場合、会って話をしたり、電話やメールをしたり、手紙を書いたり、最近ではLINEなどの方法を使うことが考えられます。ただ単に情報を伝達するだけなら何も考えず、これらの方法のうち、最も使いやすいものを選べばよいだけです。しかし、情報の種類や相手との関係性など、考慮しなければならないことがいくつかあります。例えば、相手に教える情報が個人情報や企業秘密など、相手以外に知られてはいけない情報だとしましょう。そうした場合は、対面でやりとりするのが最適だと言えます。電話やメール、手紙などだと、盗聴されたり送信先を間違えたり、別の人が開封してしまうことも考えられますからね。

普段私たちが使っている言葉によるやりとりは、人間の主な情報伝達の方法です。もちろん、言葉以外にも情報を伝達する手段があります。「目は口ほどにものを言う」ということわざがあるように、目線だけで何かを伝えることや、音声のやりとりが難しい場面では身振り手振りを使うこともあります。笑い声や泣き声、表情などといった非言語による手段も、意識せずに使っています。一般的に、チンパンジーや犬、猫などのヒト以外の動物は言葉を使えないと思われていますが、鳴き声や身振り手振りといった態度や行動によって情報をやりとりしています。人間も、言葉以外の情報伝達方法を持っていますが、言葉という便利な道具を手に入れたことにより、情報のやりとりを主に言葉で行うようになっただけなのです。

情報発信の注意点とメディアの特性 ……………………………

では、情報を発信する際にどのようなことに気をつければよいのか考えてみましょう。まず、「いつ（When）」、「だれが（Who）」、「なぜ（Why）」、「何を（What）」、「どこで（Where）」、「どのように（How）」情報を受け取るのかを想定します。この**5W1H**を具体的に考えた上で、どのような情報発信の方法が適切かを吟味しなくてはなりません。例えば、地域のお祭りの案内を作る場合を考えてみましょう。「いつ（When）」案内を出すのか、「だれ（Who）」に知らせるのか、「なぜ（Why）」知らせる必要があるのか、「何を（What）」伝えるのか、「どこで（Where）」伝えるのか、「どのように（How）」伝えるのか。町内の子育て世帯を対象としているお祭りならば、作った案内チラシを保育所や幼稚園、小学校などで配布してもらうのが効果的なことがわかります。最近では、子育て世帯の父兄が利用することが多いソーシャルメディア（Twitter や Facebook）などを使用して伝えるという方法もあるかもしれません。情報伝達のメディアの種類によって特性が違うので、それらをよく理解した上で使用することになります。メディアの特性には**速報性**、**同報性**、**蓄積性**、**検索性**、**発信範囲**、**発信者**の６つがあります。

「速報性」は、何か事件や事故、災害が起こったときに、第一報を知らせる速さが重要です。避難の指示を地震が起きてから１日後に伝えるのでは遅すぎます。TV、ラジオ、電話、ファックス、電子メールなどは速報性が高いメディアです。もし、お祭りの案内を１か月前から周知するのであれば、参加を予定している人は前もってスケジュールを調整できるので、速報性はあまり考えなくてもよいでしょう。

「同報性」は、より多くの人に同じ情報を同時に伝えることができる性質です。テレビ、ラジオ、新聞、ウェブサイトなどは、同時に同じ情報をたくさんの人に伝えることに適したメディアと言えます。地域のお祭りの案内の場合は、ある程度の期間内にその地域の参加者に伝わればよいので同報性はさほど優先されません。

「蓄積性」が高いメディアとは、発信された情報を後から見返したりできるように整理して保存可能なメディアのことです。例えば新聞、書籍、雑誌といった紙媒体の情報は、蓄積して適切に管理さえしておけば、インターネットや電波が遮断された状況でも確認が可能です。地震や津波など

速報性

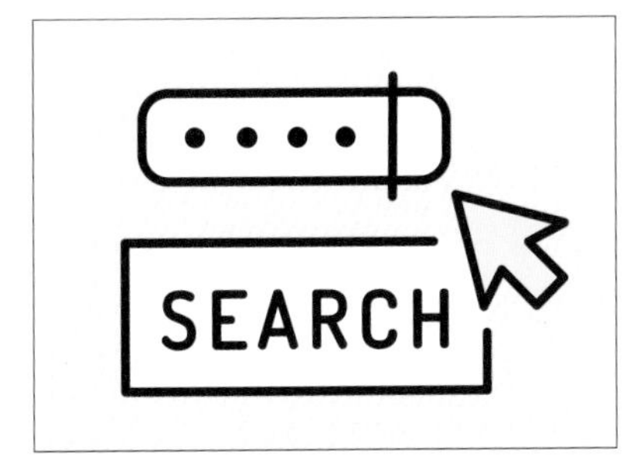

検索性

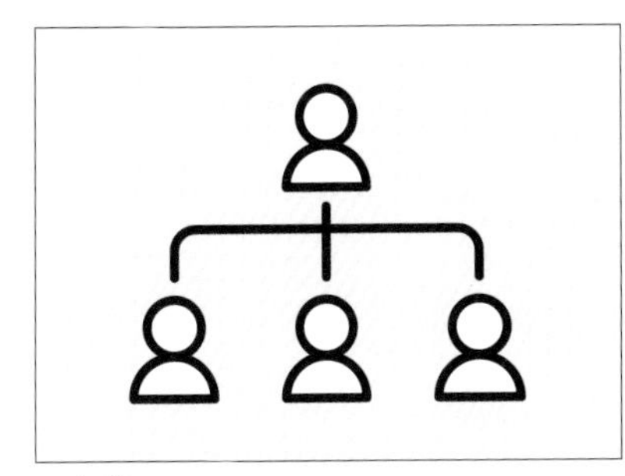

同報性

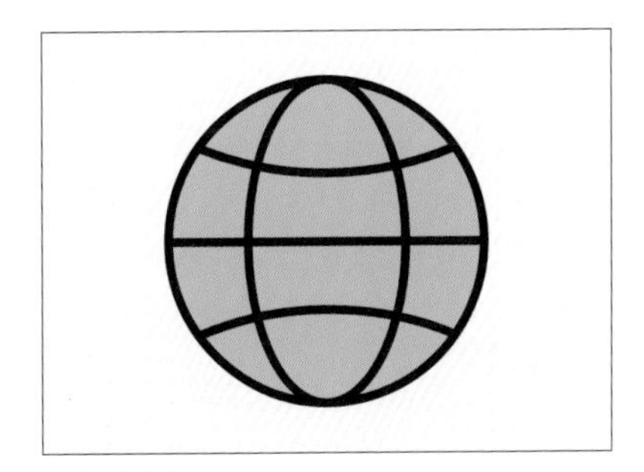

発信範囲

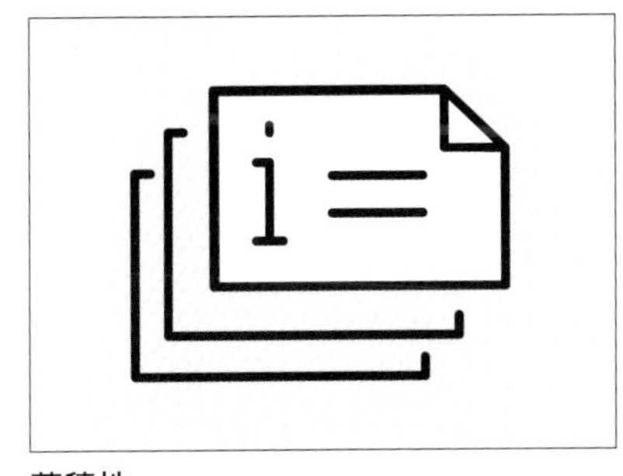

蓄積性

発信者

の大災害が起きた場合でも、電子機器類に保存されたデータの復旧は難しくても、紙媒体の場合は（完全ではないものの）復旧できたという事例が多くあります。お祭りの案内を出す場合は、そのお祭りの重要性や配られた側の管理状況にもよりますが、チラシさえ捨てずに置いておけば、蓄積性の点では確保されていることになります。

「検索性」は、発信された数多くの情報の中から、必要な情報を見つけ出す際の検索しやすさのことです。新聞や手紙など紙媒体のアナログ形式で保存された情報は、適切な管理や分類がなされていない場合、目的のものを探し出すことは非常に手間です。インターネット情報のようにデジタル形式で保存されていれば、検索は容易になります。その期間限りのイベントであるお祭りの案内の場合、後で見返すことはあまりないので、検索性はそこまで重視されないですが、町内のイベント情報のスケジュールをまとめたウェブサイトなどに掲載しておくと、検索性が高まって便利になると言えます。

「発信範囲」は、その情報を受け取ることができる人の範囲のことを指します。発信したい情報が国内向けか、ある限定された地区に向けたものなのかによって利用するメディアを決めることになります。テレビや新聞のローカル版は特定の地域に向けたものであるのに対し、全国放送や全国版の記事などは国内すべての人が情報を受け取ることができます。先に挙げたソーシャルメディアの Twitter であれば、不特定多数の人に情報を届けることができますし、Facebook なら特定の仲間内だけに届けることもできます。地域のお祭りを案内する場合、参加者は基本的にその地区限定になりますので、その範囲で発信すればよいでしょう。

「発信者」は、その情報を発信する人自身のことです。テレビ、新聞、書籍といったメディアは特定の事業者が情報を発信しています。一方、電話、ファックス、郵便、インターネットは誰もが使用でき、個人で情報発信ができるメディアと言えます。子育て世帯を対象としたお祭りの案内をする場合は、主催者が地域の児童施設などでチラシを配布するという方法がとられると思いますが、最近だとインターネットやメール、ソーシャルメディア、LINE などのインスタントメッセージングツールなども積極的に利用されるようになってきています。対象がインターネットの利用に不慣れな高齢者の場合には、紙媒体の配布の方がよいでしょう。

Chapter 2

人とコンピュータ

この章で学ぶ主なテーマ

コンピュータを用いた問題解決
シミュレーション
モデル化
アクセシビリティ技術
情報の管理

「身近なモノやサービス」から見てみよう！

2016年に公開された「ドリーム」という映画では、1960年代のNASAの研究所で働く計算手が巨大な電子計算機を使って有人ロケット打ち上げのための軌道計算を行う様子が描かれています。計算手とは電子計算機が実用化される前の時代に、手作業で数学的な計算を担当していた職業（人間計算機とも呼ばれた）のことですが、この作品中の時代はちょうど計算機が科学技術計算に使われ始めた頃で、「電子計算機の出現により、近い将来、計算手の仕事が無くなる」といったセリフが出てきます。その昔、「コンピュータ」という言葉は計算手のことを指していましたが、現在は計算手という仕事は存在しておらず、コンピュータは電子計算機のことを指す言葉に変わりました。かつて計算することを専門にする職業があったなんて、一家に1台のパソコンが当たり前の今では考えられませんよね。

最近のパソコンは一昔前と比べると飛躍的に性能が向上しています。また、小学生が当たり前のように学校の授業で一人1台パソコンやタブレットを利用する時代になってきています。みなさんはGIGAスクール構想という言葉を聞いたことがあるでしょうか？2019年に文部科学省が発表した教育改革案のことで、GIGAは

「Global and Innovation Gateway for All（すべての児童・生徒にグローバルで革新的な扉を）」を表しています。児童生徒1人ずつが1台のコンピュータ（タブレット端末）を持つことで、個別に最適化された教育を実現することを目指したものです。2020年のコロナウイルス感染症の感染拡大による休校や外出制限をきっかけにこれまで以上に注目を浴びるようになりました。

しかし実際のところは、コンピュータを配布したのはいいものの、学習ツール（教育用ソフトウェア）やデジタル教科書、動画資料などの教材コンテンツの活用方法が浸透しておらず、授業や家庭学習に十分に生かしきれていないという問題があるようです。今の小中高生はすでにゲームや動画サイトなどを日常的に楽しんでいるので、コンピュータを使うことに抵抗はないはずですが、スキルやリテラシーが不足しているベテランの教師も学校現場には一定数いると思います。そうした方の多くが「SNSは危険」「コンピュータウイルスは怖い」「壊してしまったらどうしよう」といったように、教育にICTを導入することのデメリットがメリットよりも大きいと感じているのかもしれません。GIGAスクール構想の実現のためには、教える側がICT活用の利便性と必要性を正しく理解することが重要です。

ではそもそも人はなぜ、コンピュータを利用するのでしょうか？人間がただ生きていくだけなら、コンピュータがなくてはならない場面というのは実はそう多くないはずです。コンピュータが活躍するのは、何かを「自動化」するときです。また、コンピュータはもともと、先の映画の例で出したように何らかの科学技術計算をするために発明されたものです。複雑で難解かつ大規模な計算を自動化できれば、時間を短縮でき、人の手による計算ミスもなくなります。こうした大きなメリットを享受しつつ、これからの時代はコンピュータとうまくつき合っていく必要があるのです。

2-1

コンピュータを用いた問題解決

AIやロボットの活用

すでに私たちの身の回りでは驚くほどあらゆる場面でコンピュータが活用されています。コンピュータを使っていないと思っているような仕事でも、どこかの段階でコンピュータが関連してきます。昔からある農業や漁業などの産業では、今でもコンピュータが直接関連していない作業が残っていますが、最近では**スマート農業**の推進やAIによる漁場予測など、特にAI（人工知能）を駆使して業務を効率化しようという試みが進められています。農業の場合、AIを搭載したドローンにより人間の目では確認しにくい場所の作物の状態を把握する技術などが実用化されてきています。下の画像は、作物の収穫をロボットにより行っている様子です。人間が作物を収穫する場合、広大な畑を巡回するという多大な労力がかかります。当然、人手も必要ですが、少子高齢化に伴って次世代の農業の担い手

ロボットによる作物の収穫（IDTechExリサーチアーティクル「IDTechEx Outlines the Future of the Agricultural Robotics Industry」より）

が減っていることもあり、AIを使った省力化を検討することは現実的な課題となっています。

AIを使うと、これまで蓄積した情報（漁場の位置、水温、資源量）をもとに、いつ、どの場所が最も漁獲量の多くなる漁場なのかを予測できるようになります。今までベテラン漁師の長年の経験と勘に頼っていた作業を、より正確に自動化できるので、人手にかかるコストも削減できます。

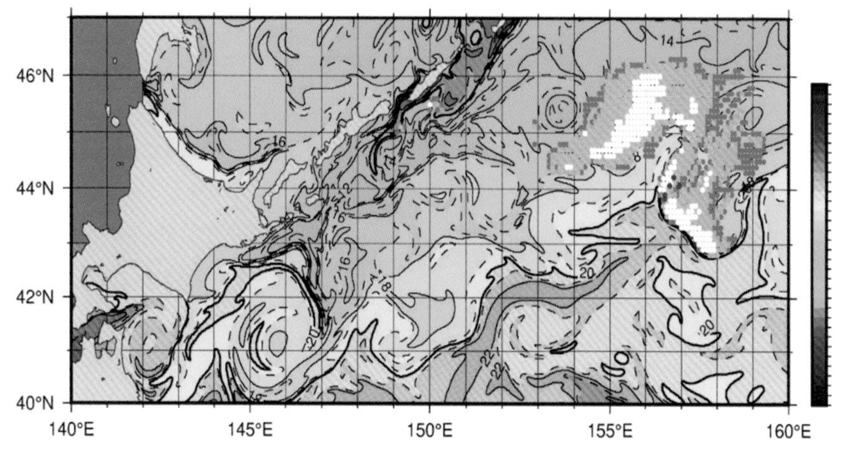

AIによる漁場予測（JAFIC Technical Review No.1「AI技術を利用したサンマ漁場予測手法の開発」2022年2月より）

ロボットを使った単純作業の自動化のことを**RPA（Robotic Process Automation）**と呼びます。前述のスマート農業においても、ドローンや作物収穫ロボットを利用することがあります。これらは、RPAを導入している典型的な事例です。単純作業にロボットやコンピュータを利用することのメリットとして、人間特有のミス（ヒューマンエラー）を回避できる点や、人件費の削減、時間を問わず一日中動かし続けることができる点などがあります。その一方、ロボットやコンピュータが故障すれば動作しなくなるというリスクもあります。また、ロボットやコンピュータが通信のために情報をやりとりしている場合、機密情報が外部に漏洩するリスクも考えないといけません。業種にもよりますが、個人情報を蓄積しているサーバとの通信がある場合、ロボットやコンピュータがハッキングされた際のリスクは計り知れません。さらに、業務内容がブラックボックス化することで、人間が問題に対処できなくなる点もデメリットと言えます。例えば、ロボットが農作物を収穫する際に、必ず見落としてしまう箇所があるとします。このような場合、ロボットおよびAIの設計・開発に携わっている人でないと原因がわからず改善できないので、ハードウェアやソフトウェアの改良に余計なコストがかかってしまう可能性があります。しかし、こうしたデメリットが今後少しずつ改善されていけば、RPAの導入は当たり前になっていくことでしょう。

人間が担うべき領域

IT業種はもちろん、研究職など、もはやコンピュータがないと立ちゆかない業種さえあります。コンピュータを使うといろいろな仕事を自動化できますが、どこまでを人間がする仕事で、どこからがコンピュータで自動化すべき仕事なのかを見極めないといけません。自動化した工程は、人間の目でのチェックが手薄になってしまいますので、問題が起こったときに対処が遅れる場合があります。また、農業や漁業などで長年蓄積されてきた人間の経験知は、機械的に蓄積したデータだけでは再現できない部分もあります。今後、コンピュータによる自動化がどれだけ進んでも、人間にしかできない部分は残っていくと思われます。業務を完全にIT化したり、さまざまな判断をAIが肩代わりする時代が近い将来訪れないとも限りませんが、今のところ、コンピュータは人間の道具の域を超えられていません。コンピュータを使った業務の効率化を考えるとき、コンピュータにすべてを任せっきりにするのではなく、人間にしかできない部分がどこなのかを常に考え、人間にしかできない作業は、これまで通り人間が分担するという考えが重要だと言えます。

2-2
シミュレーション

コンピュータを使うことで、実際に起きていないことをあたかも起きているかのように再現することができます。気象予測や人流予測などは、コンピュータを用いたシミュレーションの典型的な例でしょう。私たちが普段、テレビやラジオで天気予報を見ているとき、なぜ一週間の天気を予報できるのか、不思議に思いますよね。いくら雲の動きや地球の気候の変化の傾向がわかっていると言っても、天気の変化は毎回同じようにはいかないのではと思うのが普通でしょう。ただ、100%の的中率とはいかなくても、実際に大雨洪水・暴風警報や台風の進路予測などは、私たちの直近の行動指針の決定に非常に役立っています。気象予報がなければ、屋外でのイベントや旅行、畑仕事だって計画できません。気候変動のシミュレーションに利用される「地球シミュレータ」というスーパーコンピュータシステムが、日本でもNECなどによって開発が進められていました。現在、有名なスーパーコンピュータ「富岳」も、その役割の一端を担っていると言います。富岳と言えば、最近では、コロナウイルス感染に関して、マスク着用時と未着用とで飛沫がどのように拡散するかをシミュレーションしていましたね。こういった事象も、人の位置や人数、人と人の距離など数多くの要素が絡み合っていて、スーパーコンピュータを利用しないと計算できないほど高コストであることがうかがえます。

ここで考えてみてください。天気が予測できるのだったら、私たちの身近な事象だって予測できるのでしょうか？　そうです、私たち人間の行動パターンだって、自然の法則と同様、予測できてしまうのです。例えば、Googleが人流予測や交通渋滞予測、お店の混雑予測などのサービスを提供していますが、わりと当たることが多く、生活に役立っています。しかし、便利なのは良いことですが、何か私たち人間の行動が予見されているような気がして怖いと思いませんか？　大規模なデータ（ビッグデータ）をデータベースに蓄積して、企業が保有する何千台、何万台もの高性能なコンピュータを駆使したシミュレーションによって、私たちの行動を予測しているのです。

さまざまなシミュレーションツール

ここで簡単なシミュレーションの例を紹介しましょう。物理化学現象をコンピュータ上でシミュレートする「Java 実験室」（https://javalab.org/ja/）です。Web ブラウザを通して利用できるように、プログラミング言語の「**Java**」（➡ P.058）が利用されています。

下の図は、摩擦電気のシミュレーションの一場面です。摩擦電気がどのように反応するのかを試すことができます。風船と猫の体にはプラス（+）とマイナス（-）の電荷が表示されていて、風船を動かして猫にこすりつけることで、風船が帯電するので、猫や壁に貼り付けることができるようになります。目に見えない電荷という情報を、シミュレータを通して目に見えるようにすることで、現象を理解しやすくなります。このサイトで公開されているものは本格的なシミュレータとは異なりますが、物理化学を学んだり研究するときに、いろいろな現象をイメージしやすくなるのがわかると思います。このように、複雑な物理化学現象を視覚化することによって、誰にでもわかりやすくすることがコンピュータ上でのシミュレーションのメリットだと言えます。

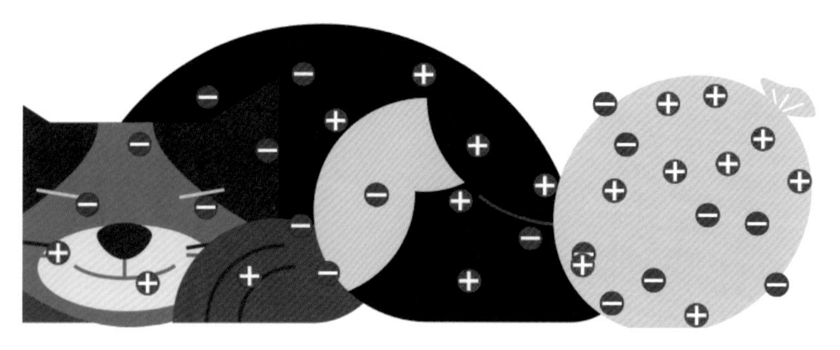

摩擦電気のシミュレーション（https://javalab.org/ja/triboelectricity_ja/）

他にも、「マインクラフト」というゲームを利用した感染症のシミュレータ「Blockdown Simulator」や、電子回路のシミュレーションができる「Logic World」など、手軽に利用できるものが登場しています。

マインクラフトのBlockdown Simulator

Blockdown Simulatorは、マインクラフトのゲーム内において新型コロナウイルスの感染拡大をシミュレートしたもので、ゲームを楽しみながら感染拡大のメカニズムを学んだり、ロックダウン時の行動や感染防止対策を疑似的に体験することができます。ゾンビウイルスに感染した住人が次々とゾンビ化していく中で、プレイヤーはソーシャルディスタンスを保ちながら感染を防いだり、医師となって住人を治療したりすることができます。

マインクラフトを用いた感染症シミュレータ「BlockDown Simulator」(https://www.akqa.com/work/minecraft/blockdown-simulator/)

マインクラフトのLogic Worldについて

マインクラフトでは、仮想的な3次元空間内でさまざまなタイプのブロックを組み合わせてあらゆる建造物を作ることができます。これらの中に、レッドストーンという鉱石でできたブロックがあり、電気信号を伝える性質を持っています。レッドストーンブロックをトーチやリピータ、コンパレータといった特殊なブロックと組み合わせて、電気信号の流れと制御が可能なレッドストーン回路を作成できます。作った回路を実際に動かして電子回路のしくみを学ぶことができます。

電子回路シミュレータ「Logic World」(https://store.steampowered.com/app/1054340/Logic_World/?l=japanese)

シミュレーションという言葉から、かなり高度なことをしているように想像してしまいがちです。もちろん、コンピュータ上で本格的なシミュレータを作成するには、物理演算など、実際の自然現象を模倣するためにうまく計算してやらねばならないので、簡単ではありません。しかし、前述の「マインクラフト」でのシミュレータは、現実の事象をそのまま再現しているわけではありません。このようなシミュレータは現実世界を極端にデフォルメしているものと言えますが、このように単純化することで、現実を観察するだけはわからなかったことが見えてくることもあると言えます。

シミュレータを使うメリット

実際に、シミュレータは現代社会で当たり前のように使われています。模擬訓練のようなことをコンピュータ上で仮想的に実施したり、何度も繰り返し行うことができないようなコストの高い作業などをシミュレータを使って試行する場合などにおいて、今やなくてはならないものと言えます。例えば、実物を使って実験するには、実験機材や実験材料が高価で貴重なため、莫大なお金がかかってしまう場合にはシミュレータが必須です。また、ロケットの発射実験ではコストもかかりますが、それ以上に、失敗すると被験者や周囲に危険が及ぶことが問題になります。このような場合、シミュレータで何度も計算して、実験が成功する確率が高い条件を導き出してから、実物を使って実験を行っています。さらに、人体を対象としているなど、モラルや危険性の問題から実物を使うことができないような実験でも、シミュレータが活躍します。医療における手術は、これまでは、知識を高め、経験を積むことによって技術を高めるしかありませんでしたが、手術シミュレータなどが実用化されてきたことにより、現実の手術とほぼ変わらない状況で練習できるようになってきています。また、巨大すぎたり小さすぎる対象を扱う場合は、実験や観察をすることが難しいので、シミュレータを使って可視化する方法がとられます。

フライトシミュレータは最もわかりやすい例でしょう。飛行機のパイロットが操縦技術を学ぶために、最初からいきなり実機を使って練習することはあり得ません。飛行させるための燃料が必要ですし、もし操縦を誤ったらただ事では済まないので、まずは仮想的なフライトシミュレータで操縦感覚を身に付けるということになります。

2-3

モデル化

シミュレーションを行うためには、現実にある物事を抽象化するというプロセスが必要になります。このプロセスのことを**モデル化**と呼びます。モデルには**物理モデル**、**図的モデル**、**数理モデル**の3つがあります。

「物理モデル」は対象となる物事を実質のあるもので表現します。例えば、地震のシミュレーションを行うために、建物のモデルを実際に作って振動させるのが物理モデルです。「図的モデル」は、要素間の関係を図で示したものであり、鉄道の路線図などがあります。「数理モデル」は、物事を数式によって表したものであり、2021年にノーベル賞を受賞したアメリカのプリンストン大学の真鍋淑郎博士が1985年に開発した「気候モデル」などがそれにあたります。これは、地球の気候の変化をシミュレートするものであり、現在問題になっている地球温暖化を予測していたと言われています。

Excelを使ったシミュレーション

ではここで、みなさんの身近にあるExcelを使って、現実に起こり得る事象をモデル化し、簡単なシミュレーションをしてみましょう。生物の個体数がどのように変化していくのか、世代ごとの変化を**ロジスティック写像（logistic map）**という方程式によって求めることができます。ロジスティック写像とは、動的な系の振る舞いをモデル化するために使用される2次関数の漸化式による離散力学系のことです。生物学、物理学、経済学、生態学などの分野で幅広く用いられています。非常にシンプルな数式で表せますが、パラメータ（定数）の値が一定の値を超えると複雑な振る舞いをします。

ロジスティック写像は、次のような簡単な式で表すことができます。

$$y=ax(1-x)$$

この式においてaは定数（パラメータ）です。ExcelのシートのA列をx、B列をyとし、数式を実際に入力してみましょう。定数aの値は何でもよいですが、可変にするため、後から変更しやすいように参照入力にしておきましょう。Excelでの参照入力とは、セルに直接数値や文字列を入力するのではなく、そのセル以外のセルに入力されている値を参照するようにしておくことで、自動的にその値を入力する機能のことです。具体的には、セルに「＝セルの番号」のような書き方をすることで、参照先のセル番号に該当するセルの値が変更されると、参照入力したセルの内容もそれに応じて更新されるようになります。

ここではaの値を1.5、yの列に入力する式は、"= 定数を入力したセルの番号 *A 列のセルの番号 *(1-A 列のセルの番号）" となります。xの列は、0.01から0.04刻みで親から子へと世代が進んでいくようにします。20行ほどデータの入力ができたら、横軸にx、縦軸にyの値をとる折れ線グラフを表示させてみましょう。そうすると、下の図に示すように、個体数が世代が進んでいくごとに増えていき、ある時点から減り始めること

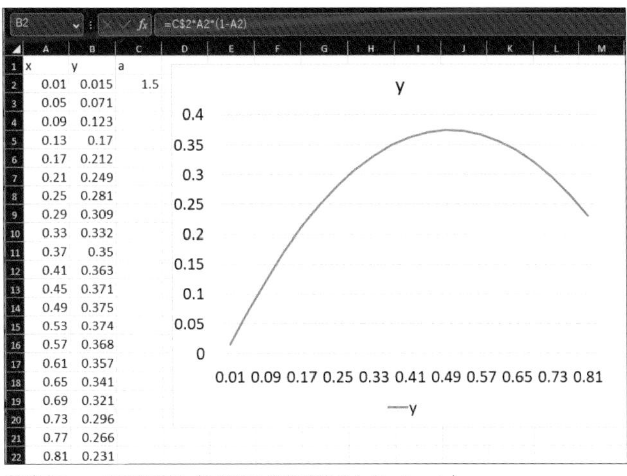

	A	B	C
1	x	y	a
2	0.01	0.015	1.5
3	0.05	0.071	
4	0.09	0.123	
5	0.13	0.17	
6	0.17	0.212	
7	0.21	0.249	
8	0.25	0.281	
9	0.29	0.309	
10	0.33	0.332	
11	0.37	0.35	
12	0.41	0.363	
13	0.45	0.371	
14	0.49	0.375	
15	0.53	0.374	
16	0.57	0.368	
17	0.61	0.357	
18	0.65	0.341	
19	0.69	0.321	
20	0.73	0.296	
21	0.77	0.266	
22	0.81	0.231	

ロジスティック写像の例（生物個体数の変化をシミュレート）

がシミュレーション結果から一目瞭然となります。定数 a の値を変化させてみるなどして、どのような変化をするかを確かめることができるので、実際にやってみてください。

ただ、これだけ見てもシミュレーションすることのありがたみがわからないかもしれません。しかし、生物の個体数の世代ごとの変化のような長期的な変化を知りたい場合など、私たちが直接観察することが不可能な事象についてデータと数式の入力をするだけでわかりやすく見せることができると思えば、非常に便利だと思いませんか？　もちろん、現実の情報を正確に取得して分析した結果をもとにモデル化しないと、正しいシミュレーションを行うことはできません。ここで示したような簡易なモデル（ここでは数式で表しています）では生物の多様性や進化、他の生物との関係性、環境の変化などはまったく考慮できていませんので、詳細を正確に表すことは到底不可能ですが、簡易的に、ある程度の予測は可能になります。

2-4

アクセシビリティ技術

私たちが普段使用している情報機器の多くは、同じ用途のものでも、いろいろな会社からたくさんの製品が発売されています。私たちはその中から、価格や機能性、デザインなどのバランスを考えて選んで手に取っています。しかし、多くの場合、デザインは自分の好みで選んでいることが多いのではないでしょうか？

情報機器に限らず、工業製品の多くは、人が使うことを前提としてデザインされています。どのような人がどんなときに使うのかということを考えてデザインすることで、利用者が気持ちよく使える製品を作ることができるでしょう。このように、使う人のことを考えたデザインのことを**人間中心のデザイン**（HCS：human-centered design/system）と呼びます。

多機能であることは本当に便利か

機能をたくさん盛り込むことで、便利になることもあります。例えば、十徳ナイフをご存知でしょうか。いろいろなタイプのナイフや道具（ドライバー、ナイフ、缶切り、栓抜きなど）が一つに収まっているアウトドアの定番商品です。キャンプに出かけるときには十徳ナイフを一つ持っていれば何とかなるものです。このように、一つの製品に複数の機能を持たせたものは、場合によってはとても便利だということがわかります。しかし、なんでもかんでも一つの製品に詰め込めばよいのでしょうか？　情報機器であれば、みなさんが普段利用しているスマートフォンやタブレット端末なども、最新のものほど、さまざま

Anton Starikov / Shutterstock.com

な機能が使えるようになっているはずです。

日本の家電には、多機能を謳った製品がたくさんありますが、世界中で広く利用されているのは意外にも単機能の製品が多いです。これは、使う人によっては多機能である必要性がなかったり、機能が豊富な代わりに使い勝手を犠牲にしてしまっていることがあるからだと考えられます。最近では「モノのインターネット」（**IoT**：Internet of Things ）と言って、さまざまな製品がインターネットにつながるようになってきています。

家電であれば、例えば、レシピを増やせる機能を持った電子レンジなどは一見、便利なように見えますが、料理が得意で普段からレシピが頭に入っている人にとっては無用の長物になるに違いありません。多機能な家電や、不要なアプリが山ほど入った携帯電話やパソコンが使いづらいのは、人間中心のデザインをしていないからではないでしょうか。機能の豊富さを売りにするあまり、最も大切なユーザ（利用者）のことを置いてけぼりにしているとすれば本末転倒です。

誰もが使えるデザインに

情報処理機器やソフトウェアにおいて人間中心のデザインを考えるとき、情報へのアクセスを容易にすることも必要です。例えば、パソコン上で作業しているときに「あのファイルはどこに保存しただろうか…？」といったようなことに出くわしたことがあると思います。探したけれどファイルが見つからなくて困ったこともあるのではないでしょうか？

パソコンの操作に慣れている人なら、データの管理に役立つツールを使いこなして、大事なファイルにすぐにアクセスできるようにしていたりするかもしれません。しかし、初心者ほど、ファイル名を適当に付けてしまったり、保存場所を適当に選んでしまったりするので、どのファイルにどの情報が書き込まれているのかを把握することが難しくなってしまいます。最近ではコンピュータの性能が上がり、オペレーティングシステムの機能も向上したため、データへのアクセス方法も、一昔前よりは改善されました。最近使ったファイルを優先的に表示してくれる機能や、ファイル検索機能が充実していたりしますので、随分使い勝手が良くなっています。また、利用者の不得意な操作を手伝ってくれるような機能も登場してきています。

音声入力は、かなり精度や使い勝手が上がってきて、今では多くの人が当たり前のように使う機能になってきています。手指が不自由な人は文字入力ができない場合もあります。また、目が不自由な場合は、音声での案内も必要になります。目と耳が不自由な場合でも、**触覚デバイス**を利用するという方法もあります。このように、当たり前のことを当たり前のようにできるようにするためには、利用者のことを常に考えてデザインしていかねばならないことがわかります。

触覚デバイス（ハプティクスデバイス）は「触覚フィードバックデバイス」という呼び方をすることがありますが、これは、触れたときに振動や圧力などによって対象となる物体に実際に触れたかのような錯覚（バーチャルな触感）を呼び起こす入出力デバイスのことです。iPhoneの

触覚デバイスの例（左：iPhoneのTaptic Engine、上：Nintendo SwitchのJoyCon）

Taptic Engine（クリックしたときに振動で反応する）などが有名で、モーターの繊細な振動により、アイコンなどをクリックした指に触った感覚を伝えるものです。Nintendo Switchなどゲーム機のコントローラにも、ゲーム内の体験と連動して振動する機能が備わっています。これも触覚デバイスの一種です。

現代は誰もが同じように利用できる、誰が使うのかを意識させないようなデザインが求められています。このようなデザインのことを**ユニバーサルデザイン**と呼び、利用者を障がいを持った人に限定しないことで、バリアフリーという用語とは区別されます。バリアフリーとは、もともとは建築用語で、高齢者や障がいを持った人を対象に、そうした人々が生活するにあたって不便なもの、障壁となるものを除去することで生活をしやすくなる状態やモノのことを指しています。しかし、最近ではバリアフリーという用語はあまり使われず、はじめからすべての人が使いやすいデザインにするという意味で、ユニバーサルデザインという用語がよく使われるようになってきています。

埼玉県熊谷市のUDブロック（https://www.city.kumagaya.lg.jp/about/soshiki/toshi/toshikeikaku/kyokatodokede/barrier_free/kumagayaudblock/4_tokutyo.html）

ユニバーサルデザインを採用した例として、埼玉県熊谷市の「UDブロック」（左ページ）というものがあります。従来、歩道と車道の間にある段差に視覚障がい者が躓いてしまったり、車椅子だとその段差を乗り越えにくいという問題がありました。UDブロックは、歩道と車道の間に設置することで、車椅子の人や視覚障がい者が歩道との段差を認識しやすくするものです。障がい者以外の人でも特に意識せずに利用できるため、デザインの対象が限定されない利点があります。

他にも、スロープやシャワートイレなど、すでに一般に浸透しているユニバーサルデザインもあります。もともと障がい者向けにバリアフリーデザインとして考案されたものが、一般の人にも使いやすいものとして改良されてユニバーサルデザインとして定着した例と言えます。

2-5
情報の管理

私たちが普段使用しているパソコンやスマートフォンには、少なくとも1つはパスワードを設定していると思います。パスワード設定する目的は、プライベートな情報に他人がアクセスできないようにするためです。ただ、昨今のインターネットの普及に伴って、私たちが日常的に利用しているアプリケーションのほとんどがインターネットにつながった状態で使うことを前提にしたサービスになってきています。このようなアプリケーションを利用する場合、利用中はずっとインターネットに接続した状態になるわけですから、端末（パソコンやスマートフォン）内の情報を誰かに盗み見られないとも限りません。

同じパスワードは複数のアプリケーションで使い回さないようにしなければなりませんし、セキュリティ面では、より強固なパスワード（記号や数字を必ず含む、何文字以上など）を求められることが増えてきています。アクセスする本人がパスワードを憶えていられなければ意味がありませんので、より簡単な認証方式がとられることも増えてきています。**多要素認証**（➡P.058）の場合、スマートフォンなどの端末に**ワンタイムパスワード**（➡P.058）のような認証コードをメールで送ることで、その端末の持ち主だけがアクセスできるようなしくみになっています。情報を管理するということは、パスワードの管理も含めて、多様な情報に対して記憶しておく、記憶した場所を憶えておくといったことが非常に大事になってきます。

情報の「断捨離」

また、情報を取捨選択するということも必要です。私たちが取得したすべての情報を記録媒体に記憶していたら、どんなに大容量のストレージ（ハードディスクなどの補助記憶装置）を準備していてもすぐに容量不足になってしまうでしょう。そこで、いったんは保存したデータでも、必要がない（使わない）なら、捨ててしまうことが重要なのです。

では、必要な情報と不要な情報を見分けるにはどうしたらいいでしょうか？　将来的に使わなくなるデータを最初から見極めることは難しいでしょう。しかし、普段アクセスしないようなデータは、もしかしたら今後も使用しないかもしれません。取得した情報の元のデータが消されることがあるかもしれませんが、自分で作成した情報でないならば、いっそのこと削除してしまう方がよいかもしれません。新しいパソコンに移行するときや、スマートフォンを買い替えるときなどは、思い切ってデータの断捨離を実行してみると、思いのほか、必要なデータはそれほど多くなかったことに気づくに違いありません。

最近では、日常的に増えていく写真や音楽などのメディアデータを**クラウド**（➡P.058）に保存する機会が増加してきています。クラウド上にデータを保存するということは、アクセス権さえ与えられれば、他の誰かもそのデータにアクセスすることができてしまうということです。個人を特定可能な情報や位置情報が記録された写真などを何気なくクラウド上にアップロードしてしまっていないでしょうか。クラウド上にアップされたデータは、不正であろうがなかろうがアクセス権を持つ者にとっては容易く覗き見ることができてしまいます。アップロードするデータには個人情報は含めないのが鉄則です。もし必要に迫られて個人情報を含むようなデータをアップロードする場合でも、厳重な暗号化を施したり、そのデータだけでは内容を復元できないような状態にしておくことが望ましいと言えます。もちろん、ここで言ってるのは自分に関する情報のことであり、他人の個人情報を含んだものを誤って漏洩させてしまうと法的に罰せられることもあるので、アップロードしないのが原則です。

さまざまな企業がクラウドサービスを提供している。左：Google 社の Google ドライブ、右：Apple 社の iCloud

情報を取捨選択し、整理することは、情報を適切に管理することにもつながります。自分の部屋が要らないもので散らかっているのを想像してみてください。不要なものに埋もれてしまって必要なものを必要なときに取り出せない状態では、宝の持ち腐れになるだけです。普段使わないようなものは整理して片づけるとともに、何年も使用していないものは捨ててしまうのがよいでしょう。情報の場合も同じです。人ひとりが一生のうちで活用できる情報の量というのはたかが知れています。一度しか参照しないものを後生大事に保存しておくことで、大事な情報にアクセスしにくくなってしまっていては、本来の情報の利便性を損ねてしまうだけです。

情報の取捨選択方法として、「今必要か」「いつ必要になるか」「どのように使うか」などの方針を決めて、後々必要となったときに、「自分だけがその情報を持っているかどうか」も捨てるか残すかの判断の基準にします。もし、他の誰かが保存しているデータならば、わざわざ自分で保存しておかないといけないものではないはずです。同じように私たちの脳も、実は情報の取捨選択をしていると言えます。例えば、昨日食べた晩御飯のメニューよりも、晩御飯のときに観ていたTVニュースの内容の方をはっきりと記憶していることがありますが、これは、自分にとって重要な情報を無意識的に取捨選択（フィルタリング）して記憶しているからだと言えます。この場合、晩御飯のメニューのことを完全に忘れてしまうことはありません。しかし、私たちの脳において、重要でないと判断されたものは、潜在記憶の中に保存され、思い出すことが難しくなるということです。コンピュータの場合は、情報を整理してデータをフィルタリングしてしまうと、不要なデータを完全に削除してしまうことになります。しかし、もしそれがインターネット上で取得可能なデータなら、そのデータの場所（例えば、URLアドレス）を憶えておけば後からでも参照することができますので、個々のコンピュータ上に大事にすべてのデータを保存しておく必要がないというわけです。

情報の表現方法

この章で学ぶ主なテーマ

情報の取得と共有
色や形で表す
グラフィックツール
新しい情報表現技法

「身近なモノやサービス」から見てみよう！

最近、「フェイクニュース」という言葉をよく目にすることがないでしょうか。フェイクは「虚偽」という意味なので、ニュースの内容が間違っていることを表しているのはわかりますが、なぜ最近になってそういうものが世の中に出回ってしまうようになってきたのでしょうか？

あとから間違った情報だったことがわかった実際の画像。日本で地震が起きたときに動物園からライオンが逃げ出した写真として広まったが、本当は海外で映画の撮影時に撮られたものだった（写真：Caters News/アフロ）

理由の一つに、情報過多であることが言えると思います。昔から、根も葉もない噂や風説の流布、デマといったものは存在しました。ただ、そうした情報は従来は口コミなどを通して伝わっていき、インターネットのない時代では比較的そのスピードはゆっくりとしていました。また、すぐにウソだとわかるような話はそもそも広まりにくいものでした。しかし、Twitter などのソーシャルメディアが普及してからは、情報の拡散力や拡散速度が急速に拡大したため、よく考えればウソだとわかるようなことでも、いかにも真実であるかのように書かれていたり、本物に見えるような写真や動画が添えられていたら、だまされてしまう人が一定数出てきます。このような情報を軽い気持ちで友人とシェアすることで、間違った情報がどんどん拡散していくのです。幸い、フェイクニュースには巧妙に作られたものは少なく、すぐにそれとわかるような雑な作りのものが多いのですが、たくさんの人が拡散しているとつい信じてしまう、だまされてしまうという可能性が高まります。

また、一度インターネット上に拡散してしまった情報は、通常、削除したいと思っても個人の力だけではどうすることもできません。インターネットのなかった時代なら、時間の経過とともに忘れ去られていくことも、一度電子データになってしまうと、インターネット上で簡単に複製されてしまうので、保存されている媒体を物理的にすべて破壊することでもしない限り、永久に記録に残り続けてしまうのです。インターネット上で一度広く知れ渡った情報はなかなか消すことができないことを「デジタルタトゥー」(➡ P.090)と呼ぶことがあります。

この章では、そんなフェイクニュースにだまされないためにも、適切な情報の表現方法を学んでいきたいと思います。

3-1

情報の取得と共有

私たちが日常的に情報を得るとき、どのような手段をとっているでしょうか？　インターネットや電子メール、ソーシャルメディアなどは当然として、テレビ、ラジオ、新聞といった昔ながらのメディアからも情報を得ているはずです。もちろん、信頼のできるメディアや情報源を取捨選択しなければなりません。1人の人だけが正しいと思って発信している内容を鵜呑みにすることはとても危険ですし、たとえ大手の情報発信サイトでも、間違ったことを発信してしまうことがしばしば起こり得ます。得られた情報が本当に正しいのかどうか、**ファクトチェック**（事実確認）することも時には必要になります。

情報を伝えるときの注意点

では次に、得られた情報をどのように利用しているでしょうか？　誰かに伝えるとき、まずそのまま伝達する方法が考えられます。ウェブサイトのリンクを共有するなど、何も加工せずにそのまま伝える方法です。この方法だと元の情報を歪曲してしまうことはありませんが、受け取る人の都合や事情は何も考えていません。その人がリンク先の情報を必ず読むとは限りませんし、リンク先のページを開いても、中身をきちんと読んでもらえるとは限らないからです。また、リンク先のページをどのタイミングで開くかによっても情報が変わってくる可能性があります。ニュース記事などの場合、ニュースサイト側の都合でリンクのURLが変わったり、知らないうちにアーカイブに移動されていたりするので、リンク切れが起こることも多々あります。

情報を取得したら、その情報を伝える相手の都合や状況を考慮し、より伝わりやすい方法で共有しないといけません。さらに、情報の種類によっては、鮮度が重要かもしれません。その情報をできるだけすぐに伝えたい場合には、いつ読んでもらえるかわからないメールでの共有よりも、電話や対面で伝える方がよいかもしれませんし、文字だけの情報だと伝達に時間がかかる場合は、図表を取り入れるなどしてよりスピーディーに伝わる形に変えたり、情報へのアクセス期限を設定することで情報の鮮度を保つなど、何らかの工夫が必要になります。

また、日本に住んでいる外国人に情報を伝えるときなどは特に注意が必要です。母語で説明できるのが一番ですが、そのためにはその国の言葉をよく理解していないといけないので、難易度が高くなります。では、日本語で伝える際にはどのようなことに気をつければよいでしょうか。相手の日本語の習熟度にもよりますが、日本人向けの堅苦しい文章だと意味が伝わりづらくなってしまいます。日本語を勉強し始めたばかりの外国人にもわかるように、「やさしい日本語」（http://www4414uj.sakura.ne.jp/Yasanichi/）などを参考にして、文章を平易化することが必要になります。このように、誰かに情報を伝えるだけでも、伝え方次第で伝わりやすくなったり、まったく伝わらなかったり、間違った情報が伝わってしまうことがあります。

しかも、ある特定の文化においては別のメッセージとして受け取られてしまうようなケースもあります。日本は昔から、暗黙の背景知識を前提としたローコンテクストの文化であると言われ、ある情報の伝達において受け手が誤解したり理解できなかった場合に、受け手側に問題があるようにとられてしまう傾向があります。よく「空気を読む」という表現が使われますが、これは前提となる知識や文脈が近い者同士だからこそ成り立つコミュニケーションの形と言えます。一方、ローコンテクストの文化に対して、ハイコンテクストの文化では、相手に伝わらないのは伝える側の責任であるとみなされます。したがって、海外から日本に旅行に来た人にきちんと伝わるような情報の表示の仕方をするようにしないと、「説明不足」「わかりにくい」というクレームが来てもおかしくありません。ハイコンテクスト文化においては、背景知識などは共有されていなくて当たり前ですから、何事も「言葉」ですべて説明しないといけないのです。

一般に、欧米はハイコンテクストの文化、アジア圏はローコンテクストの文化と言われています。欧米は他国からの移民が多く、背景知識が共有されない相手との異文化コミュニケーションの機会も多いため、一から言葉ですべて説明することに慣れているのだと言えます。しかしながら、言語の違う相手と言葉でコミュニケーションするのですから、言葉だけでは難しいですよね。欧米人の身振り手振りや表情・仕草などが日本人から見ると大げさに見えるのは、言葉だけでは伝わらないことを補うためと考えられます。

次に、情報のわかりやすさ（可読性）について考えてみましょう。情報デザインの考え方では、情報の受け手のことを考え、必要な情報を取捨選択することが大事なことはこれまでに述べた通りです。では、わかりやすくするためには何に気をつければよいのでしょうか？

右の地図は、どちらもある場所（創元社ビル）までのアクセスを示したものです。2通りありますが、どちらがわかりやすいと思いますか？　一見、航空写真の方が正確な情報が含まれていて精度が高いもののように思いますが、肝心なことが記載されていません。ある場所にたどり着くためには目印となるような目立つ建物との位置関係が知りたいはずです。この場合の地図の役割は、利用者が目的の場所までたどり着けるようにすることです。そのため、地図としての正確さよりも、利用者にとってのわかりやすさの方が重視されるのです。

航空写真に目的地にのみピンを表示させ、大通りだけ目立つように表示したもの

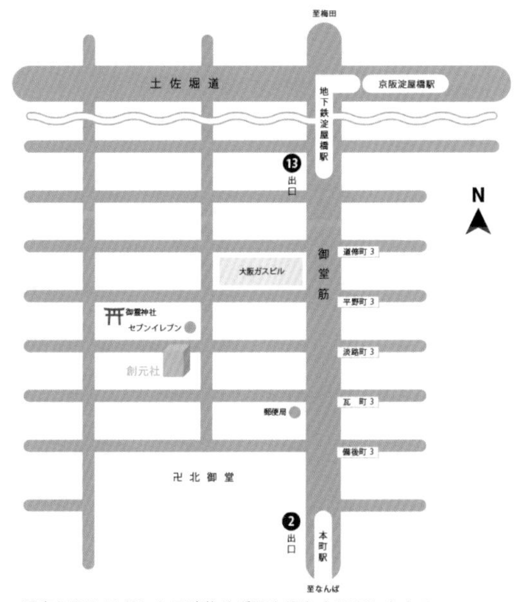

最寄り駅と目印になる建物や重要な通りを明示したもの

3-2

色や形で表す

ある事柄を言葉で伝えることが難しい、そんな場面に出くわすことは少なくないでしょう。コミュニケーションしている相手と共通の体験がなく、はじめて見聞きした事柄をうまく伝えたいと思ったとき、視覚的に伝える方法を知っておくと役立つことがあります。

色に込められた意味

色や形で表す際には文化的な要素が強く関わってきます。例えば、日本では「赤」は日本の国旗にも使用されているように、太陽の色を表していて、私たちはそこから力強さや愛など、ポジティブなイメージを感じることが多いでしょう。しかし、欧米では、赤色は共産主義の色という印象が強く、また「警戒」するものとされることが多いです。このように、色が与える印象は、国ごとに違うわけですから、ある情報デザインを考えるときには、それぞれの国ごとに色を変えなければならないということになります。しかしながら、文化的な意味を考慮するあまり、本来の意味が伝わりづらくなってしまっては本末転倒ですので、文化的意味や色から受ける印象を考慮した上で、色の違いや配置をうまく利用して情報を伝えるということが大事になります。

右の写真は、みなさんもよく知っている任天堂が 1983 年に発売していた家庭用ゲーム機「ファミリーコンピュータ」（通称ファミコン）の本体です。両方とも機能などは同じはずですが、日米で見た目の印象は随分違うことがわかります。前述のように、日本では「赤色」は力強さなどの印象を与えるので、このようなゲーム機にはぴったりですが、欧米では警戒色なのであまり使用されないことから、このようなデザインになったのだと推測できます。形状も随分と違いますね。アメリカ向けの方が直方体に近いシンプルな形をしています。みなさんだったら、どちらのデザインが好みでしょうか？

ファミリーコンピュータ（任天堂）の日本向け製品（左）とアメリカ向け製品（右）

形から伝わる情報

　次に、情報を形で表すとはどういうことかを考えてみましょう。例えば、ある組織内の役割を明確するために、組織図を描くことがあります。組織図を使うと、ある集団を構成している人員がそれぞれどのような役割を持って、互いにどのように連携しているかをわかりやすく表すことができます。以下の図は、ある会社の組織図の例です。Excel の図表ギャラリーを使うと、組織図のテンプレートがありますので、簡単なものならすぐに作成できます。

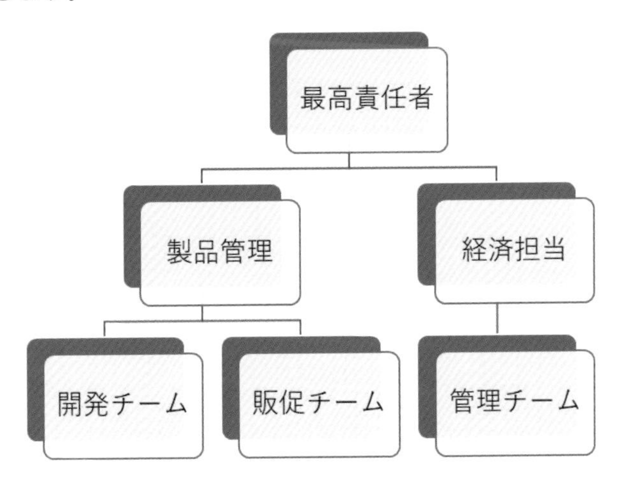

また、Excelのアドイン（追加機能）「People Graph」を使って、客観的データをわかりやすく視覚化した図（インフォグラフィックス）に変換することができます。以下の図は、あるアプリに関してクリック数やダウンロード数を可視化したものです。このように、人の形をうまく利用することで、数値だけや単純な棒グラフで表すよりも、一目見てどういう意味なのかを把握しやすくなります。

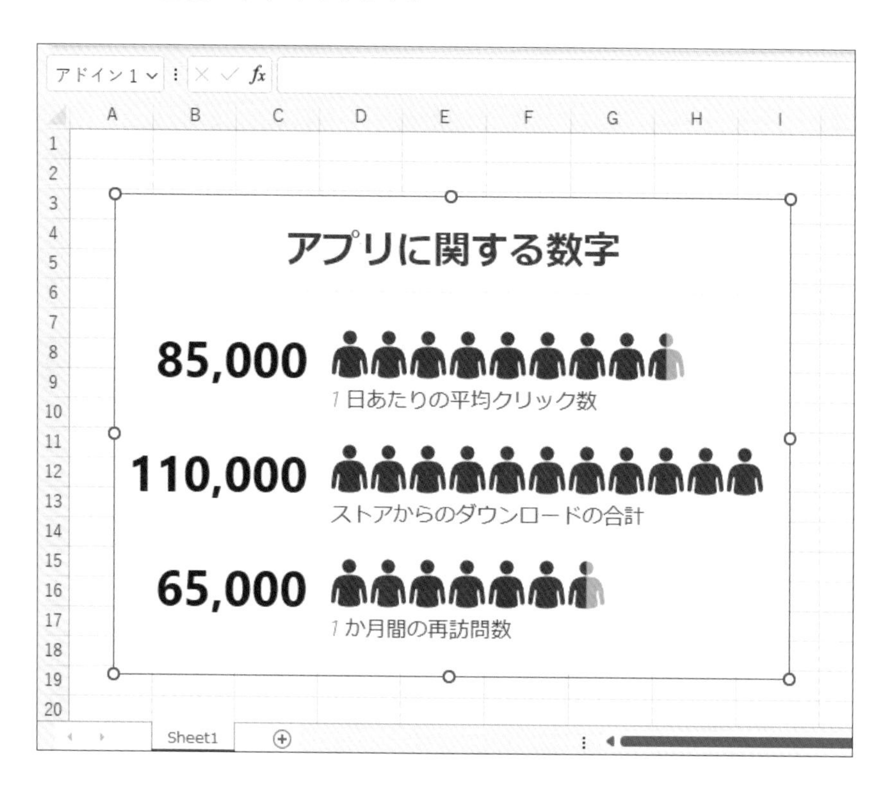

3-3

グラフィックツール

ペイントツール

ペイントソフト（ペインティングソフト）とは、マウスやペンタブレットなどの周辺機器を操作することで絵を描くことのできるグラフィックソフトです。お絵描きツールなどとも呼ばれます。Windows に標準でインストールされているお絵描きツールと言えば、この「ペイント」が有名です。

ペイントの操作画面

ペイントの最新のバージョンでは、標準で使える機能が豊富になりましたが、高度な画像編集機能はついていないので、写真の加工や複雑なグラフィックの作成には、別のソフトを使うことになるでしょう。ここでは、ペイントソフトの中でも有名なフリーソフトについて紹介します。

〈GIMP〉

写真の加工やイラストの作成に適した、高機能にもかかわらずフリーのソフトです。複数のブラシ（ペンや筆のタイプ）が利用できるほか、**レイヤー**（➡P.090）も使えるので、ちょっとした写真の編集や、ロゴの作成などには十分使えます。対応しているOSも多く、Windowsはもちろん、Linux、Mac OSでも使用できます。Script-FuやPython-Fuを使うと、各種画像処理を組み合わせて、画像変換用のフィルタを自作することもできます。例えば、「選択した範囲を90度回転させ、90%に縮小した上でエッジ強調をする」というような少し複雑な処理でも、手順をいったんスクリプト（簡易プログラム）として保存しておけば、後でそのスクリプトを呼び出すだけで簡単に実行できるようになります。

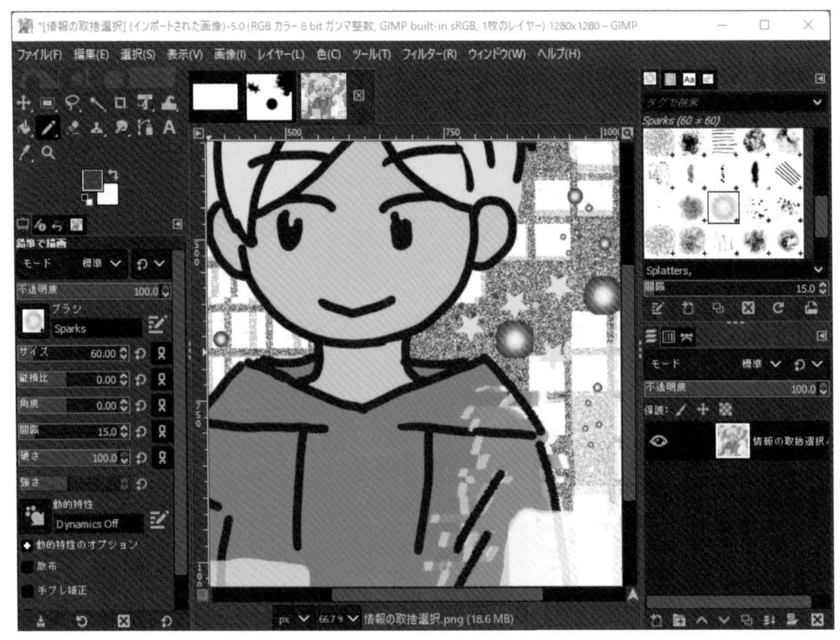

GIMP（https://www.gimp.org/）の操作画面

ドローツール

　昔からある有料の高機能なドローツールとしては、Adobeが開発・販売している「Adobe Illustrator」が有名ですが、高機能であるがゆえに、低スペックのコンピュータでは動作が重くなりがちで、ちょっとした作図をしたいときには適さないかもしれません。また、Microsoftが開発・

販売している「Visio」というダイアグラム作成（作図）に適したソフトウェアもあります。ただ、これらのソフトは有料であり、個人が趣味で購入するには少々値が張るものなので、ここではフリーソフトの「Dia（Diagram Editor）」を紹介します。

Dia は、Windows だけでなく Linux や Mac OS などでも動作するダイアグラム作成用のドローツールです。レイヤーをサポートしており、図の編集機能に優れています。**Python**（➡ P.090）のプログラミングができる人は、スクリプトを作成することで、動的な作図も可能になります。例えば、あるデータをもとに作図したいとき、いちいち人手で作成しなくても、いったん Python で作図用スクリプトを作成しておけば、データを読み込んで自動的に図を作ることができるようになります。Dia で作図スクリプトを使用するには、Python バージョン 2.3 を事前にインストールしておく必要があります。

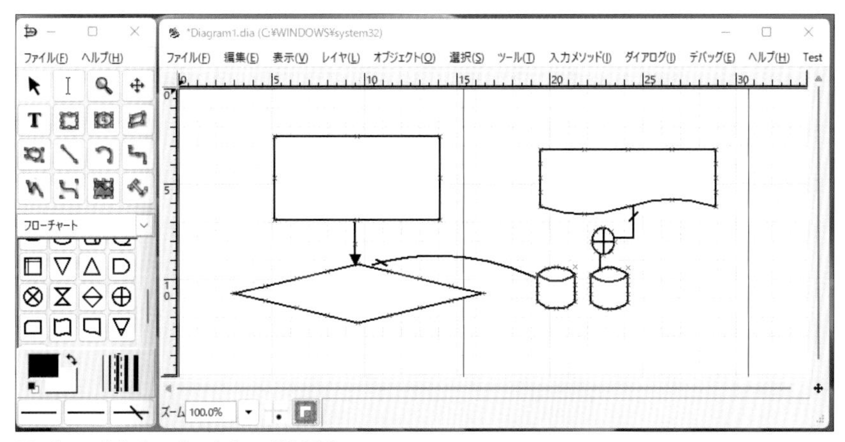

Dia（http://dia-installer.de/）の操作画面

インフォグラフィック向けのツール

Word や Excel といった文書作成や表計算アプリケーションでも、機能を追加すればインフォグラフィックを作成することは可能です。しかし、用意されているテンプレートがそこまでデザイン性に優れていなかったりしますので、ここでは、インフォグラフィックの作成に特化したツールをいくつか紹介します。

〈Canva〉

Webブラウザ上でインフォグラフィックの作成が可能。豊富なテンプレートがあらかじめ用意されている。チラシの作成などにも便利なテンプレートが多数ある。

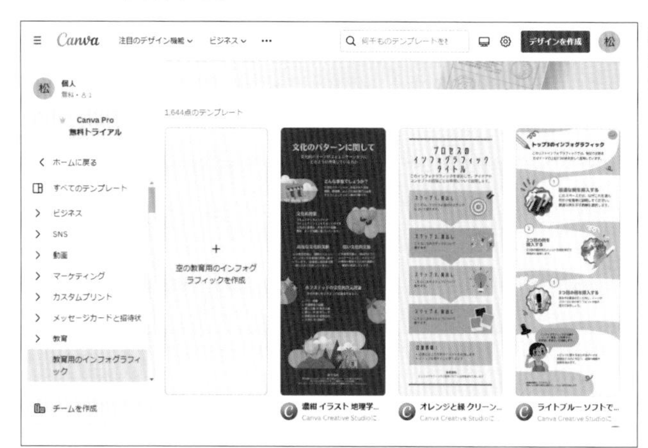

Canva（https://www.canva.com/ja_jp/）の操作画面（テンプレート）

〈Infogram〉

Canvaと同様、インフォグラフィック向けの作図ツール。フリー版でも豊富なテンプレートを利用可能。

Infogram（https://infogram.com/）の操作画面

情報を視覚化して共有するツール

「miro」は、アイディアを共有する際に、ホワイトボードでブレインストーミングするような感じで、プロジェクトのメンバーが同時に編集したり確認ができる視覚化ツールです。Web ブラウザ上で動作し、さまざまなタイプのテンプレートが用意されています。マウスやタッチ操作などを用いて直感的に使うことができる、はじめてのユーザでもとっつきやすいツールです。

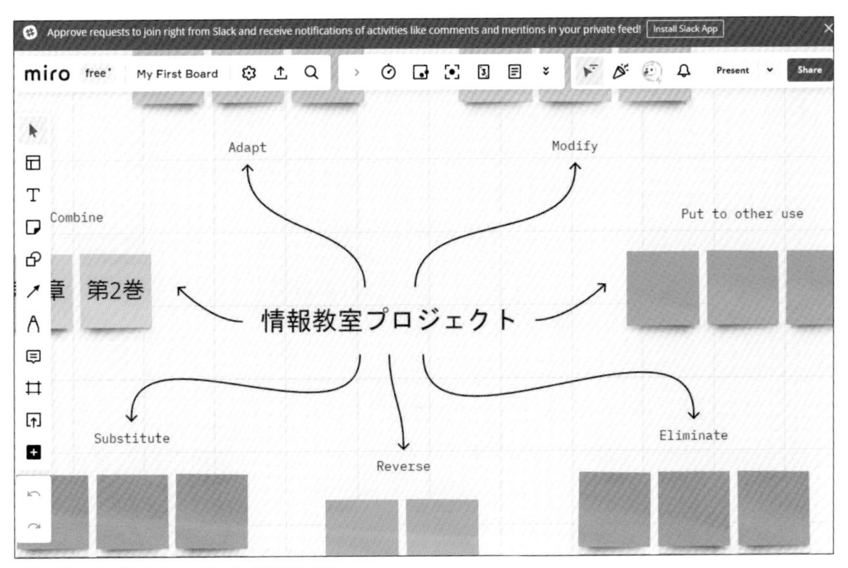

miro（https://miro.com/ja/）の操作画面

3-4
新しい情報表現技法

最近、**VR（バーチャルリアリティ：仮想現実）**という言葉を耳にすることが多くなってきたと思います。みなさんの身の回りでも、VRを活用した画期的なシステムがすでに利用され始めているのではないでしょうか。2016年は「VR元年」と呼ばれ、バーチャルリアリティが容易に体験できるデバイスとして、「Oculus Rift」などのVRヘッドセットが発売されました。このヘッドセットを付けると、コンピュータが創り出した仮想空間に没入できるしくみになっています。頭の向きや手指の動きなどを検知することで、あたかも本当にその仮想空間の中で動いているような体験ができます。

VRの概念自体は古くからあり、1930年代に登場した「Link Trainer」（フライトシミュレータ）からはじまり、実用的なものというよりはゲームなどの娯楽の場面で目にすることが徐々に増えていきました。コンピュータの処理能力やソフトウェア技術の向上によって、VRの技術は飛躍的に向上し、ようやく一般の人向けに浸透してきたのが最近になってからです。VR元年からすでに何年も経ちましたが、みなさんが仮想空間内で過ごす時間はそれほど多くはなっていないはずです。

Oculus VR社が発売した最初の消費者向けVRヘッドセット

Link Trainer

進化を続けるVR

コンピュータやプログラミングなどの最新技術に少しでも興味があれ

ば、おそらく**メタバース**という言葉を耳にしたことがあると思います。簡単に言ってしまうと、メタバースとは先ほどから登場している「仮想空間」のことです。メタバース自体は特定の技術というよりは概念を表す言葉で、バズワード（専門用語のようでありながら実際には意味が曖昧で定義がはっきりとしていない流行語）になっています。しかし、現在のところはメタバースに興味はあっても、毎日のように利用している人はそんなに多くないでしょう。メタバース内では、通常、仮想的な姿「アバター」で他者とのコミュニケーションをとります。物理的には遠方にいる人でも仮想空間内では同じ部屋ですぐ隣に座っているような感覚を感じることができます。

また、**サイバーフィジカル**とは、現実に存在するモノに関する情報を、仮想的な空間中に読み込むことで、物理的空間（フィジカル）と仮想的空間（サイバー）の垣根をなくそうという試みです。メタバースなどは、サイバーフィジカルシステムの代表的なものだと言えそうです。サイバーフィジカルの概念も昔からあり、コンピュータの性能が向上し、ソフトウェア技術が進歩したことで実現可能になり、今まで以上に注目されるようになってきています。ただ、広まっていくことと同時に、現実と同様の問題が起こることもわかってきています。インターネットやSNSが普及することで「ネットいじめ」や「ネット炎上」の問題が顕在化したように、サイバーフィジカルを利用する人が増えることによって、さまざまな問題がこれから出てくることになるでしょう。

他にも、VRと似た言葉に**AR**（Augmented Reality）や**MR**（Mixed Reality）などがあります。これら３つをまとめて**XR**と呼んだりもします。AR（拡張現実）は、現実世界に仮想的な物体や空間を付け加えるものです。MR（複合現実）は、現実の空間内にあたかもその物体がその場所に存在するかのようにホログラムをマッピングする（３次元像を投影する）ようなことができます。

MRを実現した有名なデバイスの一つに、Microsoft社が開発・販売しているMicrosoft HoloLensという製品があります。視線追跡やジェスチャ認識、音声認識の機能などを搭載していて、デバイスを装着した人が身振りや手振りでホログラムで表示された物体を動かしたり、音声で文字入力して情報検索したりといったようなことができます。これはまさに理想の**ウェアラブルデバイス**（身に着けられる情報機器）と言えます。しかし、このデバイスを装着した人は現実と仮想空間の物体が融合して見えていますが、デバイスを装着していない人は仮想空間の物体が見えておらず、全員が装着しないとコミュニケーションがとりづらくなるという問題が出てくるかもしれません。VRヘッドセットと比べると、周囲の現実の環境も同時に目に入ってきますから、間違って壁にぶつかったりする危険性は少ないでしょう。また、VRのように仮想空間に完全に入り込まなくても、現実にないものを再現したり体験できることから、目に見えない情報を可視化する技術として、今後も注目されるように思います。

Microsoft HoloLens
(https://www.microsoft.com/ja-jp/hololens)

距離を超越する技術

VRと関連して**テレイグジスタンス**という技術も最近では注目されてきています。遠隔地にいる人とコミュニケーションをとる際に、今ならWeb会議やチャットなど、インターネットを介したツールがたくさんありますが、テレイグジスタンスでは、ロボットなど自分の身代わりになる実体を持ったモノを、本人の代わりに現地に設置し、そのロボットをリモートで操作します。操作といっても、実際には、カメラやゴーグル、グローブなどを装着し、普段と同じように行動することで、それに連動してロボットが動くというしくみになっています。

テレイグジスタンスとWeb会議では、見た目や操作感がだいぶ異なります。Web会議では本人が画面にそのまま映し出されるのに対し、テレイグジスタンスでは、自分の声や動作をコピーした分身がリアルタイムで動いているため、感覚的には仮想空間内のアバターに近いものと言えそうです。ただ、アバターと決定的に違うのは、自分の分身となるロボットをコミュニケーションする相手がいる場所に設置しておく準備が必要になるという点でしょう。ロボットが今より身近にならないと、なかなか普及しない技術のようにも思えますが、すでに教育の分野などで実用化が始まっています。将来的には遠隔で介護したり、宇宙空間や放射線量の多い場所で作業をするときなど、どうしても実体が必要だけれども現地に行くことができない状況が出てくる場合に、かなり有効な方法になるのではないでしょうか。

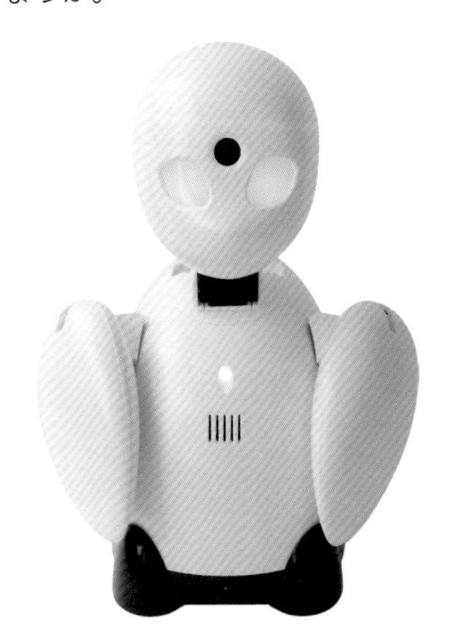

オリィ研究所が開発した分身ロボット「OriHime」は、子育てや単身赴任、入院など距離や身体的問題によって行きたいところに行けない人のもう一つの“身体”になることができる。身振り手振りやアイコンタクトを交えて操作することで、直截顔を見てやりとりするような自然で密度が高いコミュニケーションが可能となり、ビジネスの場やフリースクール、特別支援学校などでの導入事例が増えている（https://orihime.orylab.com/）

Keyword

▶バイナリ形式

バイナリとは0か1の2値のことで、0と1の値を並べてさまざまなデータを表現する形式をバイナリ形式と呼ぶ。現在のコンピュータのほとんどがバイナリ形式を使って画像、文字、音声、プログラムといったあらゆる種類のデータを表現している。

▶ Java

汎用プログラミング言語およびJavaによって書かれたソフトウェアを動作させるソフトウェア・プラットフォームのことを指す。Javaは長い間広く使用されてきており、スマートフォンのオペレーティングシステム「Android」用のアプリケーションの開発にJavaが主に使用されていた（現在はKotlinというプログラミング言語が主流）。また、オブジェクト指向プログラミングを採用した言語としても有名で、現在は業務システムやWebアプリケーションの開発など、さまざまな場面でJavaが利用されている。

▶多要素認証

2つ以上の異なる要素を組み合わせて本人確認を行う認証方式。認証要素には知識情報（本人だけが知っている情報）、所持情報（本人しか持っていないもの）、生体情報（指紋や顔など本人の生体的特徴）の3種類がある。それらの内､2つの要素を用いて認証する方式を特に「二要素認証」と呼ぶ。

▶ワンタイムパスワード

一度きりしか使用できないパスワード。各種サービスへのログイン時などに利用され、もしパスワードを第三者に盗まれても再度使うことができないため、セキュリティ性が向上する。

▶クラウド

インターネットなどのネットワーク上でソフトウェアを利用したりデータをやりとりするしくみ。「クラウドコンピューティング」と呼ぶこともある。場所やデバイスに依存することなく、「必要なときに必要なだけ」利用できるメリットがある。

Chapter 4

情報の伝達方法

この章で学ぶ主なテーマ

情報伝達手段とツール
UI と UX
UI・UX の設計と評価

「身近なモノやサービス」から見てみよう！

最近、世間を賑わせているOpenAIの「ChatGPT」は単なる文章生成できるチャットAIではありません。「〜をするプログラムを作って」と入力すれば、こちらが望むプログラムコードの生成までできてしまうプログラミングAIとしての側面も持っています。

ChatGPTが作成したインベーダーゲームのコードの例（一部抜粋）

独創性のある複雑なコードの生成はまだまだ難しいようですが、こうしたAIによるコンテンツ生成ツールが次々にリリースされています。現時点のプログラミングAIの多くは、バグが含まれていたり不完全なコードを生成することも多く、生成されたものをそのまま業務で使える段階には到達していません。しかし、生成されたコードを人間が少し手直しすれば動作しますし、少なくとも土台となるサンプルコードを探してくる手間は省けます。

今後、AI に学習させるデータを用途に応じたプログラミングに特化させることによって、生成されるコードの質は向上すると考えられます。近い将来、もしかしたらプログラマーの仕事を奪ってしまうかもしれません。

AI を活用した UI 生成のサービスである「Galileo AI」は、今のところ英語にしか対応していないようですが、プロンプト（➡ P.090）から必要なコードの動作についての説明を文章で入力するだけで、編集可能な UI の生成が可能であり、面倒な UI のコードを作成する必要がなくなります。しかし、多くの場合は、既存の膨大なコードをもとに学習しているだけなので、ユーザの立場に立った気の利いた UI や独創性の高い（目新しい）UX の作成は難しいと考えられます。そのため、もうしばらくの間は、人間が UI/UX の設計と開発を担うことになるでしょう。

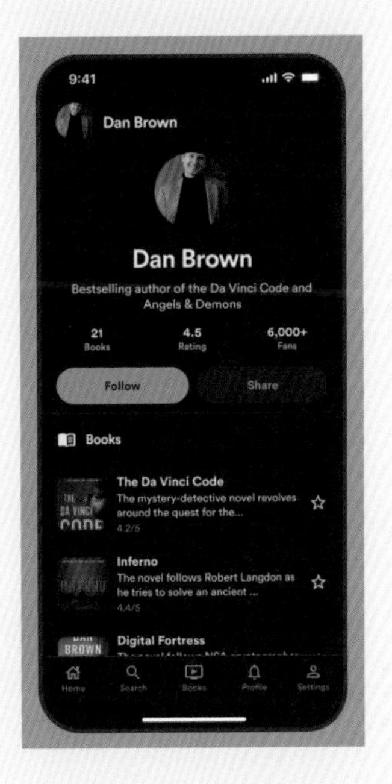

Galileo AI が生成した UI のサンプル
（https://www.usegalileo.ai/）

4-1

情報伝達手段とツール

みなさんが普段、情報を誰かに伝える際はどのような手段を使っていますか？　実際に自分が見聞きしたことを伝えるときは、シンプルに「言葉」で伝える方法が考えられます。また、自分が置かれている立場や状況、相手との関係性によって伝える方法を変える場合もあります。伝えたい情報が、数字、住所、日付といった正確さが重要で、何度も確認しなければならない情報の場合には、文書で伝える方が良い場合があります。最近だと電子メールやLINEのようなメッセージングツールなどが主流でしょう。スマートフォンをはじめとする情報端末には、必ずと言っていいほどこうしたツールがあらかじめインストールされていて、みなさんも日常的に使用されていると思います。筆者も、電子メールアプリやLINEなどのテキスト主体のコミュニケーションツールを毎日利用しています。

ただ、文字だけでは伝わりづらい、伝えることができない情報を正確に伝えるためには、図や写真などをうまく使う必要が出てきます。例えば、待ち合わせ場所を伝えたいとき、地図に載っていない詳細な位置を知らせたいときがあります。こういうときは、簡単な図をメッセージに添えると

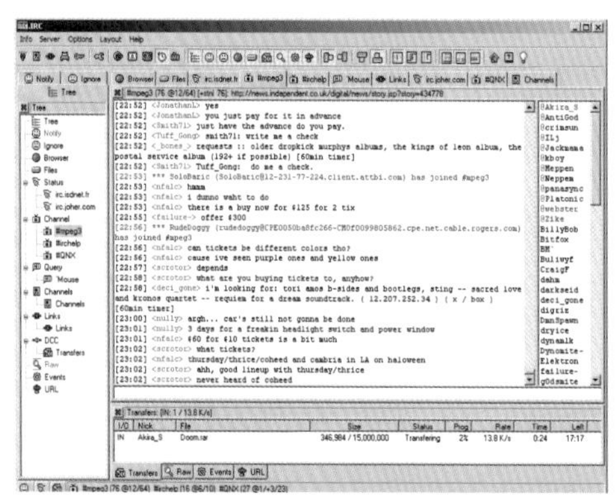

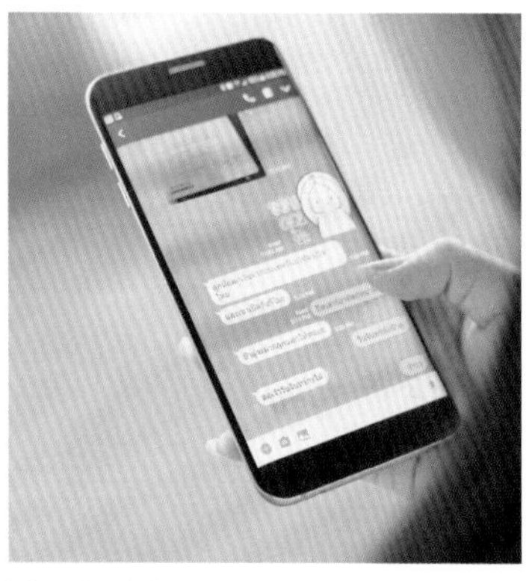

メッセージングツールはテキストチャットから進化し、今では文字の他に音声や動画を簡単に送ることができるようになっている（写真右：Jakkapan maneetorn/shutterstock.com）

わかりやすくなるでしょう。メッセージングツールの中には、図や写真を貼付できるものも多いので、このような方法はすでに一般的になっていると思います。ただし、図や写真はテキストと比べるとデータのサイズが大きくなりがちなので、むやみに使用するのはおすすめできません。図や写真を使わずにわかりやすく伝えられないか工夫することが大事です。

伝える相手と伝える手段

伝える相手が違うと、伝達の手段にも違いが出てきます。例えば、友人やクラスメートに伝える場合と、それ以外の人に伝える場合では、どのようなことに気を配らないといけないでしょうか？　まず、その情報を受け取る人が理解できない言葉（仲間内でしかわからない言葉や業界用語のようなもの）を使うと、正しく伝わらなくなってしまいます。また、情報を受け取る人が普段どのようなツールを使っているかも考えないといけません。メールや LINE の他にも世の中にはさまざまなコミュニケーションツールがあります。自分が使っているツールが相手にも有効とは限りません。相手の状況を考え、想定されるツールで閲覧できるように情報を加工したり、データの形式を変換する必要がもしかしたら出てくるかもしれません。

適切な情報の発信を行うためには、それぞれのコミュニケーションの特性を十分に理解した上で、必要なときに適切な場所で利用することが大切です。情報通信技術が発達した現在では、なんでもかんでも電子的に伝えようと考えがちです。しかし、いったん立ち止まって考えてみてください。その情報は本当に電子的に伝える必要があるのか、その情報はアナログ形式の方が伝わりやすいのではないか、ということを検討した上で、情報を伝える手段を選択することが重要です。アナログ形式だと、広範囲に発信することはできないかもしれませんが、その分、いつでも手元に置いておけるといったメリットがあります。例えば紙に書いたメモは、ある人だけに重要な情報を手渡しで教えたいといったときに役立ちます。当然、そのメモを紛失したり抹消されるリスクも伴いますが、情報発信主が覚えておけばよいわけです。あまり公にしたくない情報などは、特定の限定された人だけに口頭のみで伝えるという方法も有効です。

コンピュータ上で、インターネットを通じて電子的に伝えるということは、どこかでその情報がそっくりそのまま意図せぬ誰かに漏れ伝わってしまう可能性が高まるということでもあります。コンピュータなどの情報機器は今や情報の共有手段としてなくてはならないものとなりましたが、使い方を誤ると機密情報が外部に流出してしまって大惨事が起こらないとも限りません。最近では、患者の個人情報（病歴、手術歴、アレルギーの有無など）を電子カルテに保存した病院内のコンピュータがコンピュータウイルスに感染し、身代金を要求されるという事件も起きています。事件後のデータの復旧作業に膨大な人的・金銭的コストがかかり、解決までに何か月もの時間を要しました。**情報セキュリティ**の管理が甘かったことや、二重三重のバックアップ体制を整えておかなかったことが指摘されています。

情報管理の注意点

上記のような個人情報のうち、管理の効率化に必要がない情報は電子媒体に保存しておかなくてよい場合があります。例えば、電話をかけるのはその業務を任された人だけだとすると、データベースに電話番号をすべて登録しておかず、担当者だけがアクセスできるアナログ媒体に保存しておく方法の方が有効かもしれません。また、パスワード情報などの場合、パスワードをリセットできる管理者権限を持つ人に管理を任せることができるので、管理者以外の人がアクセスできるデータベースには保存しない方が安全です。何もかもを電子媒体に蓄積しておくと便利かもしれませんが、その分、**セキュリティ管理**しなければいけない事項が増えてしまいます。電子データとして伝達する必要がないものはできるだけ電子データにせずに別の手段を利用することも必要ではないでしょうか。

また、大規模な自然災害などが起こった場合は、電子データだと復旧に時間がかかったり、そもそもデータがすべて消失してしまうことも避けられません。こうしたリスクに対し、データを遠隔地のクラウドサーバ上に保存しておいたり、保存場所を分散させておくなどの対策がとられることがあります。

最近では、**DX**（➡P.090）と呼ばれるデジタル変革の流れもあって、ビジネスにおける紙書類を電子化していこうという動きもあります。紙書類に比べて扱いが楽になるため、メリットの方が大きいように感じられます。しかし、リスクもあることを知っておかなければなりません。例えばシステム障害が起こった場合は、そのシステムで管理されている書類すべてにアクセスできなくなるというリスクがあります。ハードウェアの故障が起こった場合も同様です。これらのリスクを十分に考えた上で電子化していくことが必要ですし、利用する側も「電子化されていないことの利便性」も考えるべきです。紙媒体などアナログ式の方法を使う場面は今後どんどん減っていくことは確実ですが、だからこそ、これからはよりそれぞれの情報伝達手段やツールの特性をよく理解しておくことが必要になります。

Webアクセシビリティについて

私たちが普段、インターネット上で目にするWebサイトの中には、情報がきれいに整理されていて、言いたいことが簡潔にわかりやすく示されたサイトもあれば、文字ばかりで表現されていて何が言いたいのかわかりづらいサイトも存在します。Webサイトの作成者は必ずしもWebデザインの技法をしっかり学んでいるとは限りません。しかし、せっかく作成したWebサイトなのに、訪問者が少ないとしたら、もったいないと思いませんか？

Webサイトを趣味で作っているという人も最近は多いと思います。ブログのように、Webデザインの細かい部分は考えなくてよいものもありますので、昔よりはWebサイトを作成して公開する敷居が低くなっていますが、それでも個人のWebサイトを作成して運営しようと思えば、

HTMLの基礎知識だけでなく、Webデザインの基本を勉強しておいた方がよいでしょう。

ただ、Webデザインの基本といっても、その中身は多岐にわたりますので、どこから手を付けたらよいのかわかりませんよね。まずは、みなさんが普段Webサイトを見るときに、どのようなところが良い・悪いと感じているか考えてみてください。Webデザインをユーザ目線で評価することから始めれば、利用者のことを考えたWebデザインとは何か、という軸（基準）が出来上がると思います。この基準をもとにデザインするよう心がけていれば、誰にも理解されないような独りよがりなWebサイトを作る危険性は随分と減らせるのではないでしょうか。入門書を手にとって本格的なWebデザインを勉強するのは、それからでも遅くはないと思います。

では、**Webアクセシビリティ**において、何らかの基準はないかと言われると、実はあります。第一に、アクセスできる人の数が多いほどアクセシビリティ（利用のしやすさ）が高いと言えます。つまり、多種多様な人々に対して間口を広げることが重要となります。多種多様な人々といっても、障がいを持つ人や高齢者、山岳地帯などネットワーク設備が貧弱な場所に住む人など、考えればきりがありません。また、どのような機器やオペレーティングシステム（OS）を使用するかについても想定しておかねばなり

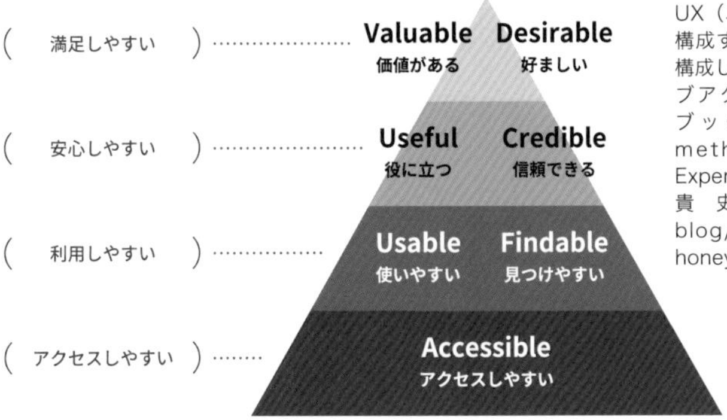

（満足しやすい）Valuable 価値がある　Desirable 好ましい
（安心しやすい）Useful 役に立つ　Credible 信頼できる
（利用しやすい）Usable 使いやすい　Findable 見つけやすい
（アクセスしやすい）Accessible アクセスしやすい

UX（ユーザエクスペリエンス）を構成する要素をピラミッド状に再構成した評価軸（デジタル庁「ウェブアクセシビリティ導入ガイドブック」より　図：Evaluation method of UX "The User Experience Honeycomb", 坂本貴史 https://bookslope.jp/blog/2012/07/evaluationuxhoneycomb.html）

ません。パソコンなのか、スマートフォンなのか、タブレット端末なのか、OS は Windows なのか、MacOS/iOS なのか、それとも Linux/Android なのか。さらに、国内外で定められた規格に沿った Web サイトにする必要があります。独自性にばかりこだわって作成したものは制作者の自己顕示欲は満たせるかもしれませんが、そのサイトを訪れる人々にとって閲覧しやすいものになっていないことが多いでしょう。

さらに「見つけやすさ」も重要です。Google や Yahoo!、Bing といった検索エンジンにキーワードを入れて検索したとき、検索結果の上位に表れるかどうかは重要な問題であり、こうした **SEO**（Search Engine Optimization：**検索エンジン最適化**）を考慮したサイト作りが必要となります。

検索エンジンが検索結果の上位に表示するかどうかは、ユーザにとって需要のあるキーワードがそのサイト内に含まれているかどうかによります。例えば、20 代の男性に見てほしい Web サイトなら、20 代の男性が頻繁に検索キーワードとして使っているものを含めておいた方がよいでしょう。また、SEO 対策のためには、主要な検索エンジンが、それぞれの Web サイトからキーワードをどのように抽出しているかを知っておくべきです。まず、ページタイトルが Web サイトの内容に合っているかということ、見出しに重要なキーワードが含まれているかということ、また、**メタディスクリプション**と言って、Web サイトの各項目の内容を要約した文章をコード内に入れておくと、検索エンジンがその要約文を検索結果に表示してくれることがあります。そうすると、それを見たユーザにサイトを閲覧してもらえる確率が高まります。また、適切な引用やリンク先を設定しておくとよい場合があります。例えばある音楽家についてのサイトを作成している場合に、その音楽家の公式サイトのリンク（URL）を Web サイト内に含んでいると、その音楽家の名前で検索した際に、一緒に検索結果の候補として表示されやすくなるのです。

4-2

UI と UX

私たちは普段、目的に応じてパソコンやスマートフォン上でさまざまなアプリケーションソフトウェアを利用しています。使い勝手の良いアプリは、ユーザインタフェースが洗練されているものが多いですよね。**ユーザインタフェース**（**UI**）とはコンピュータとユーザとの「接点」を指す言葉です。優れた UI が備わったシステムやアプリケーションは、ユーザの作業効率を向上させることができます。このユーザが直接操作する部分である UI がわかりにくかったりすると、どんなに高機能で、高速・高精度な処理ができるシステムでも使ってもらえないことがあるのです。

Apple の製品はその典型的な例で、ハードウェアの性能はそれほど高くなくても、UI をうまくデザインし、操作性を向上させることによってスペック以上の価値を生み出すことに成功していると言えます。一方で、スペックはとても高性能なのに、使い勝手が悪い UI を採用しているために、人気が出ずに消えていく製品は後を絶ちません。このことからも、アプリケーションソフトウェアにとって UI がいかに重要かがわかるでしょう。

良いユーザインタフェースとは？

では、どのようにしたら良い UI を作ることができるのでしょうか？センスの良いデザイナーに依頼すればよいのでしょうか？　いいえ、良い UI は誰にでもデザインできる可能性があります。一般的に、UI は見た目のことを指すものだと思われがちです。しかし、単に見た目が良いだけでは良い UI とは言えません。

例えば、みなさんもリモコンを使う機会はよくあると思います。日本でよく見かけるタイプは、ボタンに文字が印刷されていたりして機能は一目瞭然なのですが、あまりにもボタンの数や種類が多いため、どこに何があるかがわかりづらく、目的のボタンを探すだけで一苦労です。一方、そもそもボタンが少なく、しかも文字は書かれておらず簡単な記号が書かれているだけのものもあります。実は、リモコンで頻繁に行う操作の種類は実際はそんなに多くなく、あまり使わない機能はメニューボタンから呼び出せるようにしておく方が使いやすいはずです。また、最近では音声操作ができますので、マイクボタンを使って検索キーワードを簡単に入力することもできます。このように、洗練されたUIではシンプルさを追求し、無駄なものを極力省くことで、使いたい機能にストレスなくアクセスできるようになっているのです。

Aayan Arts / Shutterstock.com

UIと似た用語に**UX（ユーザエクスペリエンス）**というものがあります。これはUIを使用した際の体験やUIを通して得られる体験のことを指します。次の図はUIとUXとの関係を示したものです。この体験には、アプリケーションソフトウェアを使用しているときに感じる「印象」なども含みます。同じような機能を持っているアプリが複数ある場合に、「心地よい」「面白い」「新鮮だ」といった印象を抱かせることができるものの方が繰り返し使いたくなりますよね。

NCDC コラム「UX と UI の違いと関係性を解説。よくある２つの捉え方とは？」より（https://ncdc.co.jp/columns/6871/）

　UX と UI は切っても切り離せない関係にあります。いくら凝った UI を作っても UX が良くないとだめですし、UX を凝りすぎて UI とのミスマッチを起こしているようなものは受け入れられにくいです。UI と UX がうまく融合していて、他のアプリケーションよりも心地よい印象を与えるものほど、ユーザの目にとまり、使い続けたいという気持ちにさせるのです。UI や UX の設計の理論は、いろいろな観点から研究されており、Web デザイナーやソフトウェアエンジニアを目指す人ならもはや知っていて当たり前の必須の知識になってきていると言えます。

4-3

UI・UXの設計と評価

UXは、UIと並べて示されることが多いため、単にUIによって得られる体験のことという捉えられ方をされるケースが多いですが、UXのデザインには、インタフェースのデザインが内包されていることに注意してください。つまり、UIのデザインはUXのデザインに影響を与える一つの要素でしかありません。デザイナーがUXを設計する際に、UIのデザインのことだけを考えればいいわけではありません。このようにUXは、より大きな視点で考える必要があります。

設計時に気をつけること

このUXを設計する際に最初に考えるべきは、ユーザが誰なのかということです。実際に利用するユーザがどのようなユーザなのかを想定し、仮想的なユーザのモデルとしてまず**ペルソナ**というものを作成します。実在しない人物のプロフィールや性格、趣味や嗜好などを設定します。このペルソナはUXだけではなくUIの設計にも使えます。ペルソナを通してユーザがどのようなものを必要としているのか、また、どのような課題が考えられるかなどを、事前に想定することができます。

◆ ペルソナの例

名前：山田太郎
性別：男性
年齢：28歳
仕事：ITエンジニア
年収：500万円
居住地：東京都内
家族構成：独身
趣味：映画鑑賞、ゲーム

性格：内向的でおとなしい。一人でいることを好む。
よく利用しているSNS：Twitter
悩み：仕事が忙しく、休日はほぼ寝て過ごしている。健康のためにも何かアウトドアの趣味を始めたい。

評価の方法

次に、そうして作り上げたUIやUXを評価するためには、どのような方法があるでしょうか？　方法の一つにインタビュー評価というものがあります。これは、実際に利用するユーザに試用してもらい、後で聞き取り調査を行うことで、どのような部分に問題があるか、どのような部分はうまくできているかをUIの開発者が把握する方法です。インタビュー手法には**構造化インタビュー**、**半構造化インタビュー**、**非構造化インタビュー**、**グループインタビュー**などいくつか種類があります。

「構造化インタビュー」とは、事前に準備したシナリオに沿ってインタビューを行います。この方法の利点として、仮説の検証がしやすい点が挙げられますが、その仮説が正しいという前提が必要になります。例えば、UIで問題となりそうな箇所について構造化されたインタビューを順序通りに行っていたとして、想定していたよりも別の箇所で多くの問題が起こっていたり、仮説に間違いがあると、インタビューを最後まで行えなかったり、設問の順序を入れ替える必要が出てくるなど、あらかじめ構造化しておいたメリットがなくなってしまいます。

仮説の正しさに確証が持てなかったり、未知の問題が多いと考えられるようなときは、「半構造化インタビュー」の方が適していることがあります。半構造化インタビューは、インタビューのシナリオに沿って調査をしますが、調査対象のユーザとの対話の流れによって話題を新たに追加したり、削除したりしながら柔軟に進めていく方法です。インタビューの流れがその場の文脈に依存するので「文脈的インタビュー」とも呼ばれます。

「非構造化インタビュー」には「深層面接法（デプスインタビュー）」と「エスノグラフィックインタビュー」があります。深層面接法では、調査対象となるユーザと直接対話しながら深く相手の心理を把握して情報を取得します。この方法で調査する場合も、ユーザと調査する側との間に信頼関係を築かなければ潜在的な要求を知ることはできません。エスノグラフィ (ethnography) という言葉の意味は、人々の「生きられた体験」「生きられた語り」に出会うことであるとされています。エスノグラフィックインタビューは、調査する側が調査の枠組みを決めることはせず、人々の生活に深く入り込んでいき、観察したことを詳細に記述する方法です。UIのデザインにおいても、ユーザがどのような使い方をして、どのようなことに困っているのかなど、生活に密着した観察や聞き取りが必要となります。どちらも相手の話をじっくりと聞いて調査するタイプのもので、調査者側があらかじめ準備した質問やシナリオを使用しないため、想定していなかった情報を多く取得できるメリットがあります。一方で、調査対象のユーザとの信頼関係が築けないと、信頼できる情報がほとんど得られないといったデメリットもあります。

最後に、「グループインタビュー」はその名の通り、グループでのディスカッションを通してユーザの潜在的なニーズを探り出すときに用いられる手法です。

◆さまざまなインタビューの手法

インタビュー人数

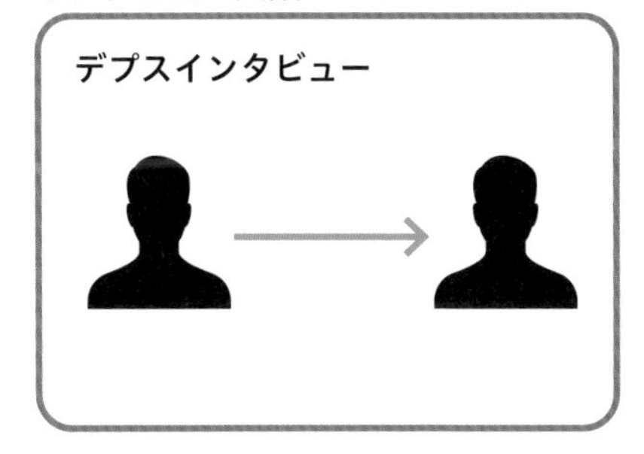

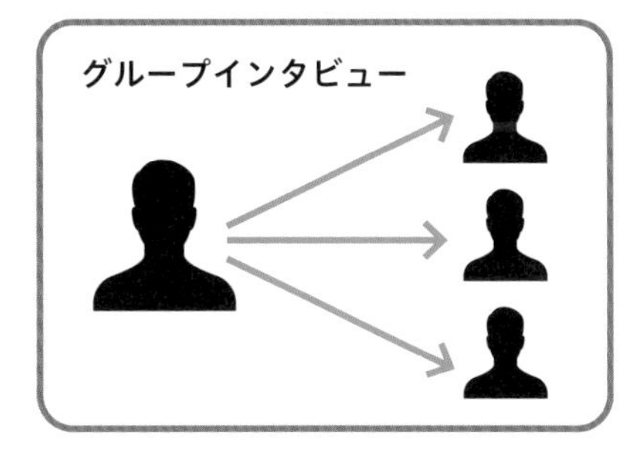

質問内容の設定

UIの評価には**ユーザビリティ**（usability）という評価尺度があります。ユーザビリティとは、簡単に言うと、あるモノを利用する人にとっての「使いやすさ」や「使い勝手」を表す言葉です。操作性が良く、使用するときにストレスを感じずに目的を達成できれば、ユーザビリティが高いと言えます。ではユーザビリティはどのように測定すればよいのでしょうか？

まず、**ユーザビリティテスト**という手法があります。これは、UIのユーザビリティについてユーザ目線で評価するものです。UIの試作（プロトタイプ）をユーザに試用してもらうことで問題点を洗い出し、その解決法を探ります。ユーザビリティテストには大きく分けて**定性的ユーザビリティテスト**と**定量的ユーザビリティテスト**というものがあります。定性的ユーザビリティテストは、ユーザに使ってもらい、ユーザビリティにおいてどのような点に問題があるかを一つ一つ調査して明らかにし、解決策を見つける方法です。定性的調査の手法には、先述の文脈的インタビューをはじめ、深層面接法やエスノグラフィックインタビューなどが含まれます。

なお、定性的ユーザビリティテストでは、少数のユーザに参加してもらってテストを実施するのが一般的です。例えば、動画編集ソフトのUIを開発し、ユーザビリティテストを行うとしましょう。動画編集では、画面の一部に文字や字幕を入れることが多いですが、フォントの種類が豊富に用意されていても、自分が使いたいものを探すのに一苦労するとしたら、使い勝手が悪いソフトと評価されてしまいます。このような問題点は、UIを開発する側の人間は見落としがちです。なぜなら、開発者が自分で作成したものなので、どのように使えばうまくいくか、効率的に使えるかをよく知っているからです。このように、定性的なテストでは開発者が事前に気づかないUIの短所や長所について参加ユーザに対して詳細な意見聴取を行うことが目的です。このため、一人あたりの調査コストの大きさを考えると、あまり多くのユーザを集めて実施することはできないのです。

定量的ユーザビリティテストは、仮説の検証が主な目的であり、そのためには多くのユーザに参加してもらう必要があります。使用感や使いやすさといった数字で表しにくい評価とは異なり、効率性（作業にかかる時間、作業がうまくいった回数など）のように明確な数値が出るものを扱います。そこで信頼できる数値を得るためには多くのユーザに、ある程度の時間、継続的に使ってもらう必要があるのです。しかし、得られた数値がどの程度良いのか（あるいは良くないのか）を判断するための基準がまた別に必要となります。この基準として、同じタスクを達成するための別の UI を比較対象にすることがあります。定量的ユーザビリティテストでは、テストを繰り返して結果の数字を見れば良くなったのか悪くなったのかが一目瞭然ですが、どうしてそうなったかを把握するためには、定性的ユーザビリティテストを組み合わせることも重要です。

改善の仕方

では、ユーザビリティを向上させるには何に気をつけたらよいでしょうか。第一に「使う人の立場になって」デザインすることが重要だと言えます。ある UI や UX を開発する際に、開発者目線でプランを立ててしまいがちです。例えば、その UI を作るために必要な機材、人材、期間（納期）はどのくらいかといったこと（開発側のシーズ：独自の技術や材料）をもとに開発を始めてしまうことがよく起こります。このような場合は、使う人の観点からの評価は後回しになり、結果としてユーザビリティの低い UI や UX が作られてしまうのです。

一方で、ユーザがどのような UI や UX を欲しているか、ユーザ側のニーズをもとに開発すれば、文字通りユーザビリティの高いものが実現できるはずです。こうしたユーザビリティ重視の UI、UX 設計は、1980 年代の人間工学に基づく「人間中心設計」、認知科学者であるドン・ノーマンの「ユーザ中心設計」の 2 つの考え方が融合してできたと言われています。特に 2000 年代以降、開発者に近い立場の人よりも、一般的な人々がコンピュータを使用する場面が多くなってきたことから、使う側のことを最重要視して UI、UX を設計する必要が出てきました。

また、その製品やUIを実際に使う人に、設計や開発に携わってもらう「参加型デザイン」という考え方があります。ユーザ参加型のデザインでは、UI、UXの設計者やデザイナーに加えて、ユーザ（潜在的なユーザ）が設計・開発に参加します。

参加型デザインの例として有名なものに航空機の設計開発における「Working Together」があります。これは、航空宇宙機器開発製造会社のボーイング社がボーイング777を新しく作ろうとした際に、それを購入して利用する予定の航空会社の意見を取り入れるべきだとして、各航空会社が要望を出す場として結成されたものです。実際の要望として、「手袋をしたまま点検用ドアが開閉できるような材質への変更」「非常口を片手で開閉できるように変更」「トイレの蓋がゆっくり閉まるように改善」など、さまざまな声が上がりました。ボーイング社はこれらの多くの意見を採用し、新しい機体を設計・開発しました。結果としてボーイング777は、多数の航空会社が現在も採用する非常に完成度の高いものになりました。実際に利用する人（エンドユーザ）が設計・開発に能動的に参加して意見することで、より良いものを作り出すことができた好例と言えます。

Cathay Pacific's First Boeing 777-200 N7771; Aero Icarus from Zürich, Switzerland

Chapter 5

コミュニケーション

この章で学ぶ主なテーマ

コミュニケーションの形式とツール
オンラインコミュニケーションの特性
コンテンツ分析と多メディアの融合

「身近なモノやサービス」から見てみよう！

みなさんはメールやチャット、SNSなどで「絵文字」を使ったことがきっとあると思います。2010年代以降、スマートフォンが日本に進出する際にUnicode（文字を表現する業界標準規格）にも絵文字（Emoji）が追加されました。絵文字の種類は今では何千種類にものぼり、世界中の人々に使用されています。

初期の絵文字は、1999年のNTTドコモの携帯電話用インターネット接続サービスであるｉモードで採用された12ドット×12ドットから成る小さなドット絵で、記号やピクトグラム、漫符（漫画で使われる絵記号）など、かなりシンプルなものでした。ｉモード全盛の時代は携帯電話の通信容量が限られていて一度に送信できる文字数も少ないことから、短文に絵文字を添えることで視覚的に意図を伝えやすくすることをねらって開発されたのです。実は1980年代から、電子

LINEトークで使用できるドコモ絵文字（LINE株式会社プレスリリースより　画像©NTT DOCOMO, INC.）

2022年にUnicode(ユニコード)に追加された絵文字。ユニコードとは国際的な文字コードの一つで、さまざまな国の言語の文字に固有の数字を割り当てることでコンピュータ上で表示・処理できるようにしたもの。絵文字もこれに含まれる(画像:The Unicode Consortium ツイートより)

掲示板やパソコン通信などでは、スマイリーマークや簡単な顔文字が使われることはありましたが、感情以外を表す絵文字はほとんどありませんでした。

デジタル情報は、コミュニケーションを便利にしてくれますが、感情や印象など、数字や言葉でうまく表すことのできない情報はそぎ落とされてしまいがちです。電子メールと手書きの手紙を比べてみると、同じ内容でも手書きの方が気持ちが伝わるのではないでしょうか。文字主体のデジタルコミュニケーションでは、情報を誤解のないよう正確に伝えるだけでなく、意図した感性(書き手の気持ちや立場など)が伝わるような工夫も必要になるのです。

メッセージングアプリのLINEでは「スタンプ」と呼ばれる絵文字をさらに進化させたような表現も頻繁に使われるようになりました。今では若者の多くが絵文字やスタンプだけ送ったり、場合によっては1文字だけでチャットする(「了解」の意味で「り」だけを返信する)など、言葉を上手く扱えなくなっているのではないかという心配がされるようになってきています。まさか友だち同士と同じ感覚で、学校の先生や職場の上司相手に絵文字やスタンプを頻繁に使うことはないとは思いますが、自分が伝えたいことを言葉で適切に表現できないのも困りものです。絵文字が便利であることは間違いありませんが、みなさんには「言葉」での正しいコミュニケーションができるようになってほしいと思います。

5-1
コミュニケーションの形式とツール

最近では、オンラインでコミュニケーションをとる機会が今まで以上に増えています。電子メールのように従来から使用されているものの他に、LINE や Discord などのメッセージを簡易にやりとりできるアプリケーションが、若い人を中心に当たり前のように使われるようになってきています。また、不特定多数の人とコミュニケーションをとるツールとして、Twitter や Instagram などの **SNS**（**ソーシャルネットワーキングサービス**）があります。ツールによっては発信する相手を限定することもできますが、標準の設定では、不特定多数の目に触れることが前提になっていることが、前述の電子メールや LINE などとの大きな違いです。

形式とツールの関係

コミュニケーションをその形式によって大きく分類したとき、まず「1対1」「1対多（多対1）」「多対多」といったように、情報の発信者と受信者の人数で分けることができます。1対1は、双方向で情報を送受信する形式であり、親密な間柄であったり、重要な情報のやりとりをする際にこの形式がよくとられます。ただし、第三者が2者間の情報のやりとりを傍受してしまうことも懸念されます。1対多の場合は通常、情報発信者が1名で、それ以外は受信側になることが多い形態です。電子メールにおけるメーリングリストでの一斉配信や、オンラインセミナーなどがこれにあたります。多対多は、多くの人が参加する会議、ミーティング形式です。多対多形式のコミュニケーションの中で、1対1や1対多のような形式で情報のやりとりが行われる場合もあります。ただし、参加者は3者以上なので、1対1でやりとりしていても、それを傍で聞いている第三者が存在する状態となります。

こうした形式を考慮しながらコミュニケーションツールを、時と場合、人によって使い分けることになります。例えば友人や家族とのやりとりに

LINEを使うのは問題ないですが、会社の取引先とのやりとりにLINEを使うことはあまり推奨されません。なぜなら、LINEは電話番号とユーザを紐づけているので、携帯電話のアドレス帳に載っているユーザ同士がつながってしまうのです。また、メッセージのやりとりの際に送信先を誤ってしまうと、個人の携帯電話番号や個人の人間関係など、企業との取引とは関係のない情報が流出してしまう、またその逆の事態が起こる可能性があります。

ツールの変化

遠方の人との通信手段として古くから電話がありますが、電話の場合の問題点は、相手の時間を奪ってしまう点です。何か別の作業をしているときに、急に電話がかかってきたら手を止めて対応しなければなりません。場合によっては出られないこともあるので、かけた人も時間の無駄になってしまいます。ただし、急用や緊急の場合は電話を使うのが普通だと思います。電子メールやチャット以上に、相手にリアルタイムでの対応を要求できる点は電話ならではのメリットと言えそうです。

電話では細かな情報のやりとりがしづらいことや、かける時間帯をよく考えないといけない点で、最近ではビジネスにおける社内コミュニケーションをビジネスチャットツール限定にしている企業もあるようです。ビジネスチャットツールの有名なものとして「Slack」というアプリケーションがあります。無料で使い始めることができ、デスクトップ版だけでなくブラウザ版やスマートフォン用のアプリもあり、シンプルな使い方ができるのでプロジェクト単位のコミュニケーションツールの中では比較的定着してきています。

こうしたビジネスチャットツールの利点は、相手の都合をいちいち確認しなくても、メッセージを送ることができ、とりあえず確認したけれども別の作業で対応できない場合は後で返信するよといった簡単な返信が可能なことが挙げられます。また、メールと違い、投稿済みのメッセージに後

Slack の操作画面（https://slack.com/intl/ja-jp/features）

から修正を加えることもできるので、万が一間違った情報を送信してしまった場合も訂正が容易です。Microsoft の「Teams」というツールも同じようなチャット機能を持っていますが、こちらは遠隔会議システムとしての方が有名ですね。最近では、こうしたビジネスチャットツールがたくさん出てきていますが、どのツールを使うにせよ、テキストでのコミュニケーションが主体になるという共通点があります。テキストでのコミュニケーションは、結局のところ、対面や音声・画像を含む遠隔会議と比べると意思疎通しづらくなる点がデメリットだと言えます。文章の意図を伝えるために、電話で後から補足しなければいけないのであれば、せっかく気軽かつ迅速にやりとりができるビジネスチャットの利点が失われてしまいます。

電話が普及し始めてすでに 100 年以上の歴史があります。一方で、電子メールやチャットツールは実用できるものが登場してからまだ半世紀も経っていないのです。まだまだ未熟な点があって当然だと言えます。使い方が定着していなかったり、用途を間違えてしまうと、便利なはずのものが不便なものになってしまいかねません。利用者が正しい使い方を理解した上で、そのツールの限界をよくわきまえてうまく利用することが大切だと言えます。

5-2

オンラインコミュニケーションの特性

オンラインコミュニケーションと対面でのコミュニケーションとの大きな違いは何でしょうか？　電子メールやチャットなどは、文字ベースのコミュニケーションですから、相手の声色や表情が伝わらないというデメリットがあります。一方で、利用する機会が多くなった遠隔会議システムなどはどうでしょうか？　対面との違いはもちろんありますが、一応、カメラをONにすることで､相手の話しているときの表情を確認できるので、大きな違いは感じないかもしれません。ただ、遠隔会議システムで会話をする際に困ることとして、話すタイミングがとりづらいということがあります。みなさんも経験があると思いますが、相手が話そうとしているときにこちらが話してしまうといったことがよく起こります。これは、人は対面でコミュニケーションしているときは、相手の動作や表情など何気ない仕草を見て無意識的に話すタイミングをうかがっているのに対し、オンラインだと、そのような動作がすべて伝わらなかったり、一つ一つの言動が相手に伝わるまでに時差が生じてしまっているからだと考えられます。

視覚情報の優位性

現在の技術を使ったオンラインコミュニケーションで伝達可能な表現は、映像情報（音声も含む）になりますが、人は、言葉や声よりも顔の表情から相手の感情を理解することが多いと言われています。アメリカの心理学者であるアルバート・メラビアンによると、人は会話において、言語から７%、音声から38%、視覚から55%を得ているそうです。このことからも、より相手に伝わりやすくするためには視覚情報を駆使することが重要なのです。

◆メラビアンの法則

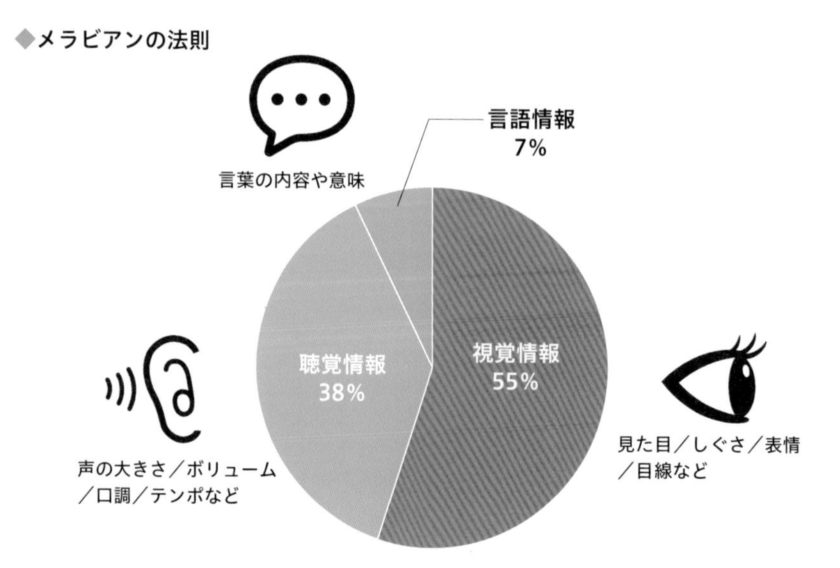

誤解させない表現を心がける

私たちが普段利用しているチャットなどでも、絵文字や顔文字、スタンプといった非言語表現を利用しています。絵文字や顔文字、スタンプは、言語だけでは伝えにくい情報をうまく表現できることがある反面、使い方に注意しなくてはなりません。例えば、絵文字は種類が豊富ですが、利用規則があったり利用場面が決められているわけではないので、どのような使い方もできます。一方で、送られてきた絵文字をどのような意味に解釈するかは、受け手次第なのです。不用意な絵文字の使用は、自分の意図がうまく伝わらず、相手に誤解を与えてしまうことの方が多いのです。この例のように、文章の内容と絵文字の内容が食い違っていると、どちらが送り手の真意なのかが受け手側は判断しづらくなってしまいます。

顔文字の場合、絵文字やスタンプとは異なる特徴があります。それは、文字を組み合わせることで誰もが自ら新たな顔文字を作ることが比較的容易である点です。その分、文字の組み合わせだけバリエーションが存在し、その解釈も一定ではありません。とはいえ、顔文字も、あらかじめ準備されている候補の中から選ぶことが多いため、よく使用される顔文字というのは限られてきます。

絵文字や顔文字、スタンプといった表現は、相手にその解釈をゆだねてしまうことになります。時と場所、場面、相手を十分考慮した上で、誤解を与えないように利用しなければなりません。ビジネスの場面でこれらの表現を利用するのはご法度です。友人や親しい間柄での使用なら問題ないですが、こうしたものに頼ってばかりいると、文章力や語彙力が低下してしまわないとも限りませんので、必要最低限の使用にとどめましょう。

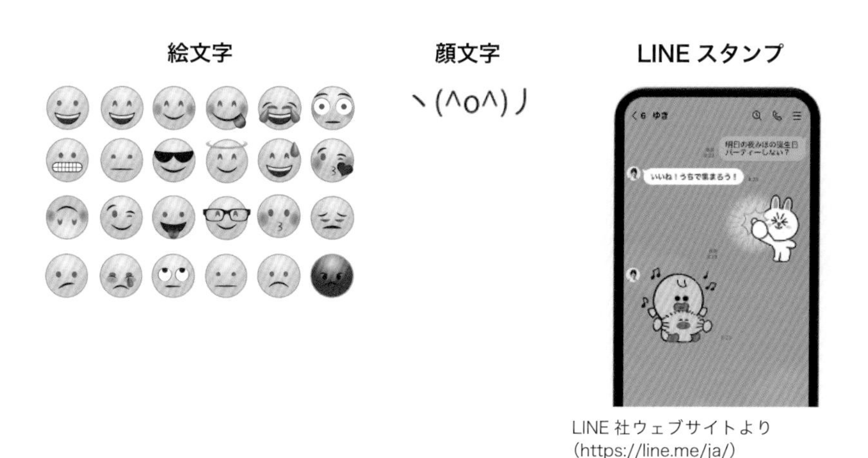

LINE 社ウェブサイトより
（https://line.me/ja/）

また、最近ではコミュニケーション手段として音声チャットもあります。音声チャットの場合、もちろん1対1の対話もできますが、電話のように1対1に限定されない点が異なります。Discordなどのメッセージングツールを使うとテキストだけでなく、音声やビデオでの通話が可能です。

5-3

コンテンツ分析と多メディアの融合

前節で述べたように、あるコンテンツを作成する際に、言語、聴覚、視覚それぞれに訴えかける方法は有効だと思われます。例えば、新しいお店の広告を出す際に、文字だけでなくお店の写真を入れたチラシを作ると効果的かもしれません。テレビや YouTube などで流すコマーシャル映像を作る際は、音や声が欠かせません。しかし、どうやったら効果的なのでしょうか？　まず、そのお店のターゲットはどういった人なのかを考える必要があると思います。若い人でしょうか？　年配の人でしょうか？　若い人がターゲットなら、若い人の好むようなカラフルな配色パターンや今風の BGM を入れます。そのためには、今の若者がどのようなものを好んで観たり聴いたりしているのかを調べないといけません。10 ～ 20 代の人がよく読んでいる雑誌や視聴しているテレビ番組、YouTube の番組、よく聴く音楽アーティストなどがわかれば、どのようなコマーシャルが効果的かが見えてきます。

コンテンツ分析とは、文章やメッセージの内容を分析することですが、前述の広告を作成するときなどにおいて有効と考えられる方法の一つでもあります。例えば、ある商品や作品が流行するには、Web 上での情報拡散が欠かせない時代になってきています。SNS での口コミによって瞬く間に広がっていき、爆発的なヒットにつながることもあります。すでにヒットしてしまっているものを真似しても意味がありません。今後どのようなモノ・コトが流行するのかを予想する手がかりとするために、どういった人がどういうものを購入し、どのように評価するのかを、レビューサイトの書き込みや SNS 上の書き込みを質的・量的に分析する方法がとられます。このような方法がコンテンツ分析の一つの方法です。

また、メディア（文字、画像、音声、映像など）の特性をよく理解し、それらを組み合わせることによって伝え方を工夫することも大事です。文字だけで伝わりにくい内容を補足するために画像を使うことはもちろん、最近では紙ベースのコンテンツからWebサイトへ誘導するものが増えています。スマートフォンなら内蔵のカメラでQRコードを読み取ってWebサイトに直接アクセスすることが簡単にできます。このように同じコンテンツを複数の媒体を通じてアクセスできるようにすることを**クロスメディア**と呼びます。また、相乗効果を狙ってコンテンツを複数のメディアで展開することを**メディアミックス**と呼びます。例えば、小説をドラマ化、映画化、ゲーム化したり、テーマパークで関連作品を展示することがあります。こうして多方面に展開することで興味を持つユーザを増やすことができます。具体的な例として、任天堂の「ポケットモンスター」があります。「ポケモン」と呼ばれ、当時から根強いファンがいますが、現在も新規ファンを獲得し続けています。もともとはテレビゲームでしたが、アニメや漫画、スマートフォンアプリなど、どんどん効果的なメディアミックスを推進していくことで成功を収めた例と言えるでしょう。

2020年公開の23作目の映画「劇場版ポケットモンスター ココ」製作：ピカチュウプロジェクト／配給：東宝（https://www.pokemon.co.jp/）

1996年に発売されたゲームボーイ用ソフト「ポケットモンスター赤・緑」任天堂（https://www.pokemon.co.jp/）

2016年にリリースされたスマートフォン向けゲームアプリ「Pokémon GO」Niantic, Inc.（https://www.pokemongo.jp/）

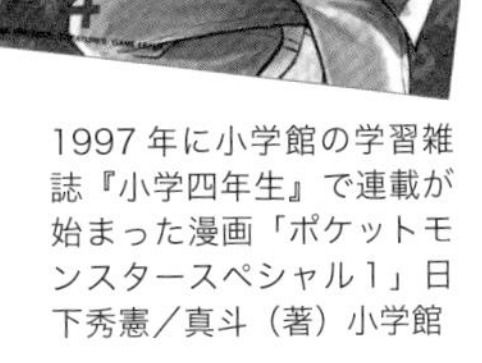

1997年に小学館の学習雑誌『小学四年生』で連載が始まった漫画「ポケットモンスタースペシャル1」日下秀憲／真斗（著）小学館

また、情報を発信する媒体には、ラジオ、テレビ、インターネットなどがありますが、あらゆる媒体でコンテンツを用いることができれば、コンテンツへのアクセスの間口を広げることにつながり、より多くの人に知ってもらう機会が増えます。もちろん、用いる媒体によって、対象、情報の伝達速度、情報量などが違うので、それぞれの特性やコストに見合った方法を取捨選択すべきです。

五感に訴えかけるメディア

これまであまり注目されてこなかった新しいメディアとして「匂いメディア」があります。コンピュータ上ではこれまで聴覚や視覚に訴えかけるコンテンツが数多く作られてきましたが、嗅覚に訴えるものは実現できていませんでした。あるモノの匂いを再現するためには特殊な装置が必要になります。匂いの元となる香料を格納したプリンタのインクカートリッジのようなものをあらかじめ準備しておくのです。消耗品が必要な分、とっつきにくそうですが、今後、匂いメディアを使って飲食店の広告を出したり、香水の宣伝をしたりといったことが当たり前になるかもしれません。

また、視覚・聴覚に訴えかけるメディアとして、音声案内や点字、手話などを組み合わせてメディアミックスを行う場合があります。博物館や美術館などでは、視覚障がい者にも展示内容が伝わるように音声案内がよく使われています。近年では、一方的に説明を聞くだけでなく、鑑賞者が積極的に展示物から情報を得るためのインタラクティブな展示方法が増えてきています。**触覚ディスプレイ**を採用している施設もあります。

触覚ディスプレイは、モノを触ったときの感覚を使って、物体の形、文字の種類などを伝えることができます。触覚ディプレイを実現する技術はいろいろありますが、振動により触覚を再現するものでは、ディスプレイの表面に、触れた際に振動する小型のセンサ（振動子）が配置されていて、触れた場所や触れた強さなどに応じて振動の強さや速さを変化させてフィードバックすることで情報を伝達します。本物のピンを用いて触覚を再現した点字ディスプレイ「Dot Pad」なども実用化されています。

このように、触覚を利用したインタフェースのことを**ハプティックインタフェース**と呼びます。身近なところでは、最近の iPhone には「触覚タッチ（Haptic Touch）」が搭載されている機種があります。触覚タッチ以前には、3D Touch という機能がありましたが、実現方法が少し違いました。3D Touch は画面を押し込む方法だったため、高コストでしたが、現在の触覚タッチでは押し込むのではなく長押しをする方法に変わり、よりコストを下げることができているそうです。触覚インタフェースの分野はまだまだ発展途上なので、これからもっと便利になって、使い勝手が良くなっていきそうですね。

「Dot Pad」（©Dot Inc. https://pad.dotincorp.com/）

Keyword

▶デジタルタトゥー

「デジタル」と「タトゥー（入れ墨／刺青）」を組み合わせた造語で、一度インターネット上で公開された情報は「簡単には消すことができない」「完全には消すことができない」ことを意味する。SNSへの安易な投稿や、本人の意志に反して広まった画像などが主な対象になる。

▶レイヤー

ペイントソフトウェアやフォトレタッチソフトウェアなどでは、透明なシートに絵を描いて、それを重ねていくことで1枚の画像を作成することができる。この透明なシートのことを、レイヤー（層）と呼ぶ。レイヤーを使うことで、背景と物体、輪郭と塗りを分けて編集することができるので、柔軟かつ効率的に作業ができる。

▶Python

プログラミング言語の一種。アプリケーションやAIの開発、データサイエンスなどさまざまな場面で活用されている。Pythonはインタプリタ型のプログラミング言語であり、C言語やJavaのようなコンパイル方式のプログラミング言語と異なり、実行前のコンパイル（ソースコードからコンピュータが解釈できる機械語形式への変換）が不要。ただ、ソースコードを書いてすぐに実行できる反面、実行時に逐一機械語に翻訳する必要があるため、コンパイル方式のプログラミング言語と比べて実行速度が遅いというデメリットがある。

▶プロンプト

プロンプトとは、特に生成型AIに対して行う自然言語による命令のことを指す。例えば、画像生成AIを使って「草むらで走る犬」の画像を作りたいときにAIに与える単語列「犬、草むら、走る」や自然言語文「土佐犬が草原を疾走している様子」などがプロンプトである。

▶DX

デジタル・トランスフォーメーションの略。企業や組織が業務のプロセス、またはビジネスモデルをデジタル技術を用いることで効率化すること。紙の書類の電子化（ペーパーレス化）だけでなく、クラウドやビッグデータの活用、ディープラーニングやロボティック・プロセス・オートメーション（RPA）などといった革新的な技術の導入を指すことが多い。

Chapter 6

コミュニケーションツール

この章で学ぶ主なテーマ

SNS

遠隔会議システムやチャットツール

対面／バーチャルのハイブリッド

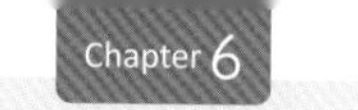

「身近なモノやサービス」から見てみよう！

Discord（ディスコード）をご存知でしょうか？　近年、ゲーマーを中心にユーザ数を増やしているコミュニケーションツールです。基本はLINEやSlackなどと同様のチャットアプリですが、それらのツールと何が違うのかと言うと、まずサーバーという単位のグループを作って、大勢のユーザをチャットに招待できるという特徴があります。また、文字や画像でのチャットのほかに、ボイスチャットやビデオ通話、画面共有もできます。

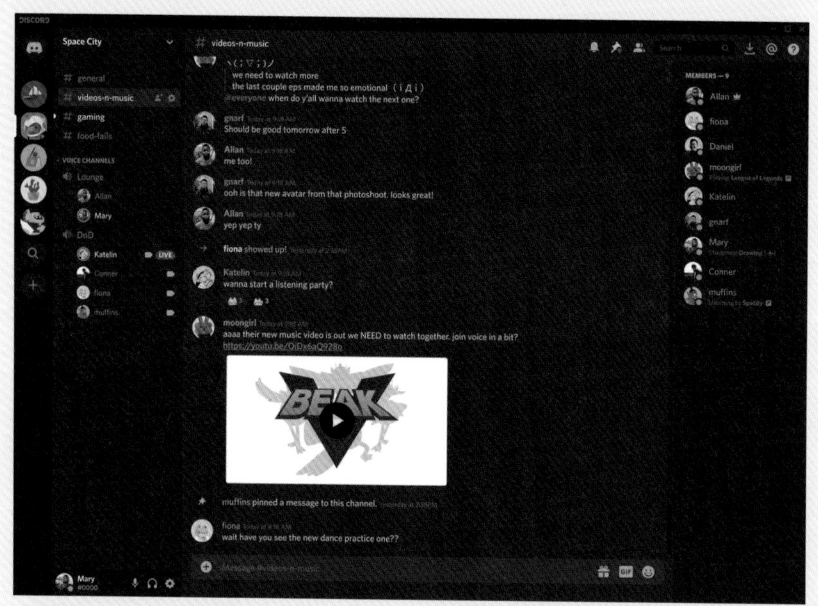

Discord のサーバーの操作画面

登録に電話番号が不要なので手軽に始めることができますし、動作が軽快であることや、初めてでも簡単に使えるシンプルなUIが多くのユーザから支持されているようです。また、ボイスチャットでの音声品質が良いことも特徴の一つです。動作が軽いため、オンラインゲーム中に一緒にプレイしている相手とボイスチャットをすることに適しています。ゲーマー以外にもテレワークをしている人などにも人気があります。

最近では、アパレルブランドやファストフードチェーンの企業が目をつけて、Discord にサーバーを立ち上げることでイベントやQ&Aを展開するなど、ビジネス用途での利用が増えたりしています。しかし、Discord で立ち上げたサーバーは閉じた（クローズドな）コミュニティを作るものであり、従来型のSNSのような拡散性が弱いため、新規顧客の獲得には向いていないと言われています。

Discord は、類似のチャットツールに比べて無料で多くの機能を使える点が大きなメリットです。使い方次第で、ほかのSNSやチャットツール以上に面白いことができそうなので、まだ使ったことのない人はこの機会に使ってみてはいかがでしょうか。

Discord アプリのダウンロード画面

6-1 SNS

ソーシャルネットワーキングサービス（Social Networking Services：SNS）は、オンラインで他者とつながることができるサービスです。**ソーシャルネットワーキングサイト（Social Networking Site：SNS）**とも呼ばれます。身近なもので言えば、Twitter、Facebook、Instagramなどが有名でしょうか。

どのSNSも登録制になっていて、それぞれのSNSに登録した人同士がメッセージや写真などを投稿するものになっています。これまでのネット上の掲示板やブログなどとの決定的な違いは、フォロー関係やフレンド関係を構築することによって、SNSを通じて常に交流している感覚が得られるところと言えます。ブログでも、メッセージを送ったり相互リンクしたりできますが、TwitterやFacebookなどのSNSの場合はより動的なコミュニティ形成ができる点で、現実の社会、人間関係の縮図のようなものと考えられます。実際には、フォローし合っていても交流がなかったり表面的な付き合いだけの場合も多いので、本物の人間関係とは程遠いですし、一方でSNSに依存するあまり、現実の人間関係を上手に構築できない人も増えていたりします。

◆ ソーシャルメディアの種類と主なサービス例

種類	サービス名
ブログ	Livedoorブログ、ココログ、アメーバブログ、Seesaaブログ
SNS（ソーシャルネットワーキングサービス）	Twitter、Facebook、mixi、Instagram、LinkedIn
動画共有サイト	YouTube、ニコニコ動画、ツイキャス、Vine
メッセージングアプリ	LINE、WhatsApp、Viber、WeChat、Google
情報共有サイト（レビューサイト）	クックパッド、食べログ、価格コム
ソーシャルブックマーク	はてなブックマーク、reddit、Digg

SNS の危険性

SNS を使えば、仲間内でのコミュニケーションが容易になる反面、特に Twitter は不特定多数の人にメッセージを閲覧される可能性があることから、不用意な発言は控えなければいけません。ちょっとした言葉遣いによって人間関係が壊れてしまったり、意図しない差別やいじめが起こり得るのも SNS の特徴です。最近では SNS を発端とする「ネット炎上」も毎日のように起こっています。SNS を使う人一人一人のモラルの欠如が原因でもあったりしますが、現実の世界では決して言わないようなことも、SNS を通してだと簡単に言えてしまうところが根本の問題なのかもしれません。また、一度発言すると、SNS 上では取り消せても、誰かがコピーしていればデジタルデータ（インターネットアーカイブ、ウェブ魚拓、デジタルタトゥー）として残り続けてしまうのですから、SNS 上での発言にはくれぐれも注意したいところです。

SNS は人間関係を構築するのに非常に便利なツールだと言えますが、その反面、人間関係をいとも容易く壊してしまうことができるツールだとも言えます。SNS 上での発言は、言葉遣いや伝え方の拙さ、そして受け取る側の立場や状況によっては、風評被害、誹謗中傷、不適切発言、ハラスメントとして解釈されることがあります。一度このようなことが起こると、取り返しがつかなくなります。そして信頼を回復するのに数年、長くて数十年かかるようなことさえあります。このように SNS は使い方を一つ間違えてしまうと、人の人生を狂わせてしまうこともある取り扱いの難しいツールだとも言えます。SNS が急激な普及する陰で、まだまだ使う側が追い付けていないため、いろいろな社会問題が起こっています。近年、SNS 利用のためのリテラシー教育も重要視されるようになっています。現実社会と SNS との違いを理解し、適切に利用できるなら、きっと問題を回避できるはずです。

6-2

遠隔会議システムやチャットツール

遠隔会議システム（Web 会議システム）と言えば、「Zoom」というアプリケーションが最近は一番有名かもしれません。Zoom が世に出る前にも同じような遠隔会議システムは存在していました。もっと前には、1980 年代頃に実用化され始めた「テレビ会議システム」と呼ばれるものがありました。このシステムはまだ通信にインターネットを使用しておらず、テレビ会議用の専用回線を敷設することが必要だったため、まだまだ個人が気軽に利用するようなものではありませんでした。

Zoom の使用画面（Zoom 社メディアキットより　https://explore.zoom.us/ja/media-kit/）

2000 年代になってインターネットがようやく普及し始めると、インターネット上に設置されたサーバを介して通信をする方法の Web 会議システムが登場し、双方向でコミュニケーションする手段の一つとなっていきます。ただ、インターネットの回線速度が遅いと、高解像度の動画像（動画）や高品質の音声で通信することができないため、2000 年代初頭は、個人用途ではあまり利用されていませんでした。しかし、光ファイバーインターネットのようなブロードバンド環境（大容量の通信が可能なインターネット接続サービス）が一般家庭にも急激に普及し始め、2010年代以降は、スマートフォンを使ったビデオ通話も気軽に利用できるものになりました。さらに、2020年以降は、テレワークを推進する企業が増えたこともあり、業種によっては遠隔会議システムを利用したビジネスのやりとりが当たり前になってきています。もちろん、今までと同様、電子メールやチャットツール、電話なども併用しているはずですが、今までだと交通コストがかかっていた営業活動などが、遠隔会議システムを利用して遠方の取引先と顔と声を確認しながらできるようになったのは大きなメリットだと言えます。

さまざまなシステムやツール

ここでは、そうした遠隔会議システムや、それを補足するようなビジネスチャットツールによるコミュニケーションについて紹介したいと思います。まず、遠隔会議システムには、**クラウド型**と**オンプレミス型**と呼ばれる形態が存在します。クラウド型は、Web上の会議システムにアクセスして利用する形態をとります。会議システムをサービスとして提供している企業と契約することで使用することができるようになります。会議システムを稼働させるサーバとの接続さえ行うことができれば、いつでも利用できます。ただ、サービス提供側がシステムを管理するため、カスタマイズ性は高くありません。普段、私たちが学校や職場で使用しているのはたいていの場合、このクラウド型です。一方、オンプレミス型は、自前のサーバにWeb会議システムを構築するタイプのものになります。自社でサーバを準備したり、開発者を雇用するため初期コストは高くなりますが、必要に応じて機能を追加することが可能なので長期的に考えるとコストを抑えることができます。

さて、みなさんはWeb会議とテレビ会議（ビデオ会議）は同じものだと思っていないでしょうか？　実は、テレビ会議と呼ばれるものは、先に述べたように専用の設備や専用回線を必要とするものを指しています。設備が揃った会議室を準備する必要があり、多対多の会議に向いています。たいていの場合、企業が導入し、通信環境は安定していますが、一般に高コストです。一方、Web 会議は、インターネットの回線とコンピュータがあればどのような相手とでも会議することが可能であり、比較的低コストです。その代わり、ネットワーク環境によって通信が安定しないことがあります。Web 会議システムとして最も有名なものとして「Zoom」があります。Zoom は 40 分まで無料で使用できますが、40 分を超えるミーティングを行いたい場合は有料プランの契約が必要になります（2023 年 5 月時点）。同様の Web 会議が可能なシステムとして「Microsoft Teams」があります。こちらも無料版があり、有料版と比べると機能が制限されますが、無料で 60 分まで使用できます（2023 年 5 月時点）。

Teams は、ビジネスチャットツールとしても優秀です。ビジネスチャットツールは、同じグループ内のテキストでの情報のやりとりにおいて、電子メールよりも手軽かつリアルタイムにやりとりができる点で優れています。Teams の他に、有名なもので「Slack」「LINE Works」「Chatwork」などがあります。どのツールも、グループ内でテキストチャットを主体にやりとりできるものですが、グループの規模や、やりとりするデータの種類などに応じて、適切なものを選択するとよいでしょう。また、個人の趣味の範囲でチャットしたいという場合には、先に挙げた「Discord」というチャットツールも選択肢に入ります。Discord は、ゲームに特化している点が特徴的です。オンラインゲーマーがゲームをしている仲間とチャットをするためによく使われています。テキストチャットだけでなく、音声チャットをする場合にも使えます。

これらの会議システムやビジネスチャットツールは、それぞれの特性を理解した上でうまく利用すれば、グループでの創作や、プログラムの開発を円滑に行うことができるはずです。大学などの高等教育機関や、学会などでは、オンライン会議システムを利用するようになってから、効率的な

Slack の使用画面（Slack 社メディアキットより　https://slack.com/intl/ja-jp/media-kit）

授業、会議の運用ができるようになった事例も存在します。ただ、すべてのことを遠隔で行うことができる業種もありますが、実際に会ってみないとよくわからないところもあるので、オンラインではない対面の授業や会議が今後も主体であることに変わりはないでしょう。

6-3
対面／バーチャルのハイブリッド

「ハイブリッドコミュニケーション」とはどのようなものを指すのでしょうか？　例えば普段、誰かと打ち合わせをしたりするとき、会議室で直接会って話し合うことが多いと思います。対面で意見を交わすことで、お互いの考えが理解しやすくなります。一方で、同じ時間にその場所に集まることができないときは、遠隔会議システムを利用することがあります。参加者が遠隔で仮想の会議室に参加するので、バーチャル会議とも言えます。この場合、遠隔でも同じ時刻に接続できれば何の問題もなく意見交換ができます。対面との違いはもちろんありますが、リアルタイムで互いに意見を交換する点では遜色ないと考えてよいと思います。

では、対面とバーチャルとのハイブリッドはどのように行うのがよいでしょうか？　対面では、これまで通り相手の顔を実際に見ながら話し合うことができるでしょう。もし、遠隔での参加者がその会合に参加しているなら、遠隔の参加者に、対面参加者同士の対話が聞こえたり、見えたりしないといけません。また、遠隔参加者は、自身の姿や音声を対面参加者に

配信することになります。当然、対面参加者と遠隔参加者との間のやりとりにタイムラグが生じることもありますが、ハイブリッドによって、本来ならば参加できない参加者が遠隔から参加できるようになるメリットは大きいと言えます。加えて、対面参加可能な人同士はお互いの顔を見ながらより細かな情報共有ができるようになるというメリットもあります。

現在は、ハイブリッドによるミーティングの環境が整っていない場合にうまく活用できない課題があるかもしれませんが、すでに国際的な会合（サミットなど）などの場でもハイブリッド開催が実施されるようになってきており、一般化してきています。ハイブリッドの場合は現地開催では必要なかった機材やプラットフォーム（遠隔会議システムなど）のコストが発生します。また、オンラインイベントは場所を問わずに開催できるという利点から、同じようなイベントが同時期にいくつも開催されてしまうことで、参加者を集めることが難しくなるような事態も現実的に起こっています。今後は、ハイブリッド形式の開催を見据えて準備することが求められるでしょう。さらに、どちらの形式の参加者にも十分に満足してもらえるような工夫も必要になってくると思われます。

オンラインで参加するブルガリアの国会議員（Circlephoto / Shutterstock.com）

Keyword

▶著作権
著作物を創作した者に対して与えられる法的な権利のこと。著作物には文学・美術・音楽・映画・ソフトウェアなどの創作物が含まれる。著作権によって、著作者は自分の作品を利用する方法や範囲を選択する権利を有する。他人が著作物を利用する場合は、著作者の許可を得る必要があり、許可なく利用する行為は著作権の侵害になる。

▶HTML
Hyper Text Markup Languageの略。ウェブページを作成するために用いられる言語であり、最も一般的に使用されている。インターネット上のほぼすべてのWebサイトはHTML形式で記述されている。ハイパーテキスト（Hyper Text）とは、文書中にハイパーリンクを埋め込むことができるテキストを指し、文書中の特定のテキストや画像をクリックすると、別のページに移動したり特定のコンテンツにアクセスすることができる。

▶マークアップ言語
文章を構造化するための言語。HTML（Hyper Text Markup Language）のようにWebページの作成に用いられるものや、要素ごとの意味内容を識別するためのXMLといったものが該当する。<TITLE>文章</TITLE>のように、タグで文章を囲むことで、文章に構造や意味を持たせることができる。類似するものに、データのやりとりに用いられるフォーマットのJSONやYAMLなどがあるが、これらはマークアップ言語とは言わない。マークダウン（Markdown）という言語があるが、これはHTMLよりも簡易で軽量なマークアップ言語の一種である。

▶JavaScript
Webサイトやアプリケーション開発に使用されるプログラミング言語の一種。多くの動的なWebページがJavaScriptにより作成されている。JavaScriptはJavaという名前が付いているが、プログラミング言語の「Java」とは異なるコンパイル不要なインタプリタ型のプログラミング言語である。主にWebページのユーザが直接見ることができる部分（GUI表示やアニメーション処理など）を作成するために使用される。JavaScriptを使って作られているサイトは数多くあり、TwitterやFacebook、ニコニコ動画などが有名である。

コンテンツの作成と改善

この章で学ぶ主なテーマ

コンテンツの作成
コンセプトデザイン
プロトタイプ作成

「身近なモノやサービス」から見てみよう！

YouTubeをよく観る人であれば、有名なYouTuber（ユーチューバー）の名前を挙げろと言われれば、すぐに何人も思い浮かぶはずです。最近の小学生の将来なりたい職業の上位には必ずYouTuberが入っていることからも、若年層からの人気が高いことがうかがえます。

写真：mon printemps/アフロ

職業としての魅力には、発信する面白さやコンテンツ作りの楽しさもあると思いますが、チャンネルの登録者を増やして動画の再生回数を上げることで、広告収入によって場合によっては大きなお金を稼げることがあるでしょう。ただ、動画を一度でも作成したことのある人ならわかると思いますが、動画の編集作業は簡単ではありません。まず、題材となる企画を立案し、必要な機材や物品を準備しなければなりません。内容によってはロケに出かける必要もあります。また、撮影や編集スタッフを雇うとなると賃金などのコストもかかります。

もちろん、一人で撮影と編集のすべてをこなしているYouTuberも多いと思います。ある有名YouTuberによると、10分間の動画を編集するのに費やす時間は1〜2日だそうです。このことからも、YouTuberが「自分の好きなことだけをして楽にお金を稼げる」職業ではないのは明白ですね。実際には寝る間を惜しんで撮影・編集した動画も、観てもらえないことの方が多いのです。いかに良いコンテンツでも、手抜きの編集では視聴回数を稼げません。人気YouTuberが動画編集のためにいかに努力しているかがわかります。

◆ YouTubeチャンネル登録者数のランキング

（万人）

順位	チャンネル	登録者数
1位	Junya. じゅんや	2310
2位	Sagawa / さがわ	1860
3位	Kids Line ♡キッズライン	1300
4位	Bayashi TV	1220
5位	ISSEI / いっせい	1140
6位	せんももあいしー Ch Sen, Momo, Ai & Shii	1130
7位	HikakinTV	1120
8位	はじめしゃちょー（hajime）	1040
9位	Boram Tube Play	929
10位	M2DK. マツダ家の日常	800
11位	Fischer's- フィッシャーズ -	797
12位	Travel Thirsty	729
13位	THE FIRST TAKE	772
14位	Saito さいとう	765
15位	Nino's Home	762

ユーチュラ「2023年4月チャンネル登録者ランキング」をもとに作成（https://yutura.net/ranking/）

7-1
コンテンツの作成

情報を発信するためには、どのような方法でコンテンツ（情報の「中身」のこと）を作成するかが重要になってきます。コンテンツ自体が目新しく興味をひく内容であったとしても、それを表現する適した方法を選択していないとうまく伝わりません。

例えば、新種の魚類を発見したときに、いち早く誰かに伝えたいと思って研究者のメーリングリストに投稿するといった方法をとるとします。電子メールは基本的にはテキストだけでの表現になりますので、新種の魚類に関する情報の真偽を判断するための情報量が不足してしまうことが考えられます。テキスト情報だけでなく、写真や図、表などを上手に使って、重要な情報をわかりやすく伝えるための工夫が必要ですし、作成したコンテンツの配信先にも注意する必要があります。メーリングリストのようにある話題に興味のある人だけが受信する可能性のある配信先もあれば、Twitter などのソーシャルメディア上だと、リツイートによって拡散されることがあるので、フォロワー以外の人の目にも触れることになります。その情報の重要度や鮮度などを考慮し、配信方法と配信先をコンテンツの作成方法以上に気を配る必要があります。学術的な価値のある新種の魚類の情報なら、多くの人に知ってもらうために論文の形にしたり、学会で発表することがありますが、学校で出題されたレポート課題をわざわざ論文の形式にしたり、HTML を使って Web で公開しやすいような形で作る必要はありません。

また、コンテンツに含まれる情報、例えば写真やイラストの**著作権**（➡ P.102）が誰にあるのかについても確認しておく必要があります。自分が作成した素材を使う場合ならよいですが、インターネット上で見つけてきた素材を利用する場合、特に注意が必要です。基本的に著作物を利用する際は、著作権者から許可を得なければなりません。ただ、一部の著作物に

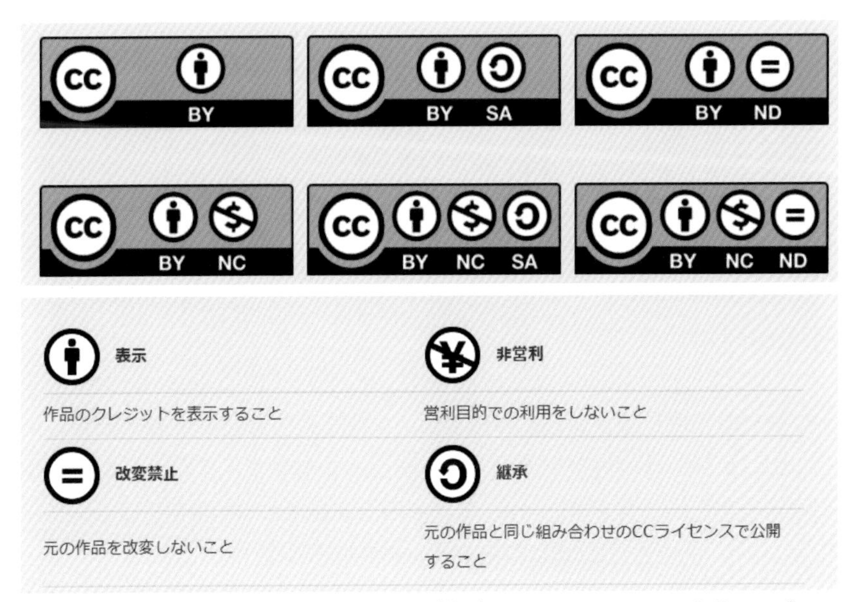

クリエイティブ・コモンズ・ライセンスを表すマークと種類（https://creativecommons.jp/licenses/）

は作者の意思で**クリエイティブ・コモンズ・ライセンス（CC ライセンス）**というものが付与されていて、一定の条件を守れば自由に使用することができます。

さて、コンテンツ作成のためのツールとして、身近なものでは「PowerPoint」というプレゼンテーションツールがあります。発表会や会議などでのプレゼンテーション資料を作る際によく使われるソフトウェアですが、他にも Mac ユーザなら「Keynote」、Linux ユーザなら Libre Office の「Impress」、OS を問わずに Web ブラウザから使用できる「Google Slides」などがあります。ここでは、最も有名でユーザ数の多い PowerPoint によるコンテンツ作成、また、HTML と JavaScript を使った動的なコンテンツ作成の方法について簡単に紹介します。さらに、Processing というプログラミング言語を使った視覚的なコンテンツの作成方法についても紹介します。

PowerPointを用いたコンテンツ作成

「PowerPoint（パワーポイント）」とは、Microsoftが開発・販売しているプレゼンテーションソフトウェアです。Windows、macOS、iOS、Androidなどさまざまなプラットフォームで動作します。PowerPointで作成できるのは、プレゼンテーション用の資料となっていますが、プレゼンテーション中に音声を吹き込むことで説明用動画も作成できます。

プレゼンテーション資料の作成では、文字だけでなく、図表を挿入したり、アニメーション機能を使って文字や図の位置やサイズなどを動的に変化させることができます。また、音声を鳴らす機能や、動画をプレゼンテーション内に埋め込む機能もあります。PowerPoint内の機能を使って図表を作成することができますが、同じくMicrosoftが開発・販売してい

PowerPointにはあらかじめ簡単なデザインやレイアウトが施されたさまざまなタイプのテンプレートが用意されている（https://templates.office.com/）

る「Excel（エクセル）」という表計算ソフトウェアを使って作成したものを、PowerPointで作成したプレゼンテーション資料内に挿入することもできます。

PowerPointには、プレゼンテーション資料を作成する機能とプレゼンテーション資料を表示する機能があり、通常、作成した資料を表示してプレゼンテーションを実施する場合は、スライドショー機能を使って全画面表示を行います。PowerPointが他の文書作成ソフトウェアや資料作成ソフトウェアと異なる点は、会議などの場面で、大きなスクリーンに資料を表示しながら説明するときに適した機能が豊富に用意されている点です。例えば、ページを表示開始してからの経過時間を記録する機能があります。この機能を使うと、ページごとの説明にかかる時間を確認し、プレゼンテーション本番時にも活用できます。また、ポインタ機能を使うとマウスポインタをレーザポインタのように表示することもできます。

HTML＋JavaScriptを用いたコンテンツ作成

HTML（➡P.102）は、私たちがインターネット上で普段目にしているWebページを記述するために用いられる一般的な言語です。現在のHTMLはHTML5と呼ばれ、HTML4までは主に文書を作成するための**マークアップ言語**（➡P.102）でしたが、HTML5はWebアプリケーション作成のためのマークアップ言語になっています。HTMLで作成したコンテンツのスタイルを指定する際には、**CSS**（Cascading Style Sheet）という言語が用いられます。CSSを使うと、HTMLで記述された要素の見た目や動作を指定することができます。HTMLとCSSだけでもWebコンテンツは作成できますが、より動きのあるWebコンテンツを作成したいときには「**JavaScript**」（➡P.102）と呼ばれるプログラミング言語が用いられることが多いです。

ここでは、HTMLとJavaScriptを使って簡単なアニメーションコンテンツを作ってみましょう。紙芝居のようなものを作成すると考えてください。**PNG形式**（➡P.132）で準備した画像をマウスでクリックすると、複数の画像を順番に切り替えて表示します。PowerPointでも同じようなものを作成することはできますが、その場合、閲覧する側の環境にPowerPointのソフトがインストールされている必要があります。HTMLとJavaScriptを使えば、Webブラウザさえインストールされていれば、閲覧することができるので、より多くの人に見てもらえます。それでは、以下の手順に従って、コンテンツ作成をしていきましょう。

1：画像ファイルの準備

画像はPNG形式で準備しましょう。アニメーションといっても、簡単なパラパラ漫画のようなものなので5枚程度あれば十分です。ここでは、それぞれ異なる表情をしているキャラクターが描かれた画像を4枚準備します。自分で作成する場合は、3-3で紹介したグラフィックツールを利用すればよいでしょう。

c1.png

c2.png

c3.png

c4.png

2：HTMLエディタの準備

HTMLソースコードの作成には、メモ帳などのテキストエディタよりも、HTMLタグなどのキーワードを強調表示してくれるHTML編集用のテキストエディタを使うのがおすすめです。あまり慣れていない場合は、Google Chromeの拡張機能をインストールすればHTMLエディタとして利用できるようになります。Chromeウェブストアで「拡張機能」にチェックを入れ、「HTMLエディタ」で検索すると「WebStudio」という拡張機能が候補に表れますので、リンクをクリックし、さらに「Chrome

に追加」をクリックしてください。追加した拡張機能は、Chromeのツールバーにある「🧩」から選択できるようになっています。Webブラウザに Google Chrome を使用していない人、例えば Microsoft Edge を使用している場合でも、拡張機能（アドオン）から HTML エディタを検索して追加すれば、同じようなエディタを使えるようになりますので試してみてください。

3：JavaScript でプログラミング

プログラミング言語である JavaScript を使うと、動的なページが簡単に作れます。簡単とはいっても、コーディング（プログラミング言語を使ってコードを作成すること）をする必要がありますので、JavaScript における基本的な決まり事は知っておかないといけません。HTML エディタを開き、コードを記述していきます。まず、画像を表示するために、HTML の機能をそのまま利用します。"Images" という名前の領域の中に、画像を表示する HTML のコードを記述します。最初は c1.png を表示している状態なので、"c1.png" を src の値にセットしています。

```
<html>
<head><title>HTML+JavaScript でアニメーション </title></head>
<body>

<div id="Images">
<img src="c1.png" width=200 height=150 alt="Image1" id="Image">
</div>
```

次に、c1.png から c4.png までを順に入れ替えるコードを JavaScript により記述します。anime_images() という関数の中で img の属性値 src の値を変更しているのがわかると思います。あとは次のようなコードを書くだけで、パラパラ漫画のように画像が順番に表示されるようになります。

```
<script>
  var imgs = new Array();
  var num = 4;      // 画像の枚数
  var speed = 1000;  // ミリ秒（1秒=1000）
  var start = 0;
  var timerName;

  // 画像のパスを配列に設定
  for (i=0; i<num; i++) {
    imgs[i] = './c'+ (i+1) +'.png';
  }

  // アニメーションの実行
  function anime_images() {
    var anime = document.getElementById('Images');
    var img = document.getElementById('Image');
    img.setAttribute("src", imgs[start]);
    start++;
    if (start >= imgs.length) {
      start = 0;
    }
  }
  timerName = setInterval(anime_images, speed);

</script>
</body>
</html>
```

4：動作を確認

HTMLエディタで編集したコードに適当な名前（例「anime.html」）を付けて保存し、Google ChromeやMicrosoft EdgeなどのWebブラウザで開いてみましょう。ここで、htmlのソースコードと、画像ファイルは同じ場所に置いておかないといけないので注意してください。

Processingによるアニメーションコンテンツの作成 …………

次に、もう少し本格的なプログラミング言語を使ったアニメーションコンテンツを作ってみましょう。「Processing」はJavaと似た構文を持つプログラミング言語ですが､言語モードを変更することによって別の言語、例えばPythonやJavaScriptに似た構文の言語でコーディングすることができます。Processingは電子アートやビジュアルデザインのためのプログラミングに適していて､図形を描画する関数が単純化されているので、視覚的にわかりやすいプログラムが簡単に作れます。電子工作との相性も良く、カラーセンサから取得したRGB値や温度センサから得られた値をProcessingを通して可視化するようなことができるので、教育機関におけるプログラミング教育でも使用されています。

次の図は、このProcessingを用いて創られたアート作品です。通常のCGアート作品と違うところは、Processingというプログラミング言語を利用しているため、インタラクティブに動作させることができるという点です。インタラクティブなアートは、鑑賞者（ユーザ）が起こすアクションに応じてさまざまな表情や変化を見せるので、飽きられにくいという利点があります。

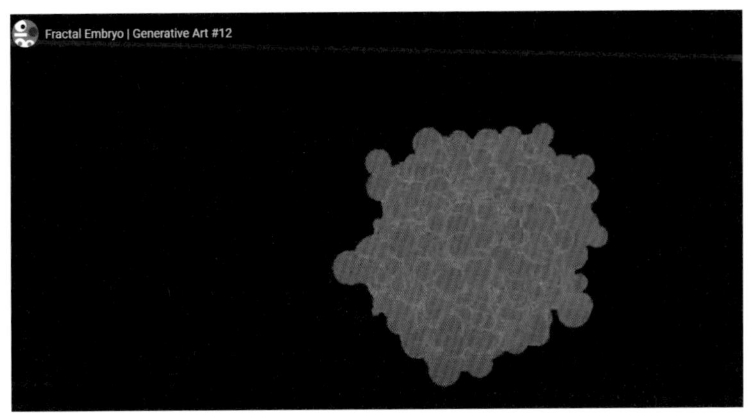

Processingによるアート作品の例

また、次の図は、Processingで実際にコードを書いて実行している例です。目玉のような形状の**オブジェクト**（➡P.132）をEyeという**クラス**（➡P.132）をもとに生成していますが、それぞれの目玉のサイズやウインドウ内での位置は生成時に指定しています。また、目玉の黄緑色で描画されている部分は、マウスカーソルの座標に近づくように移動するしくみになっています。このような簡単なグラフィックを既存のクラスなどを組み合わせて単純なコードにより表現できるため、情報をわかりやすく、簡易に可視化するのにProcessingはうってつけだと言えます。

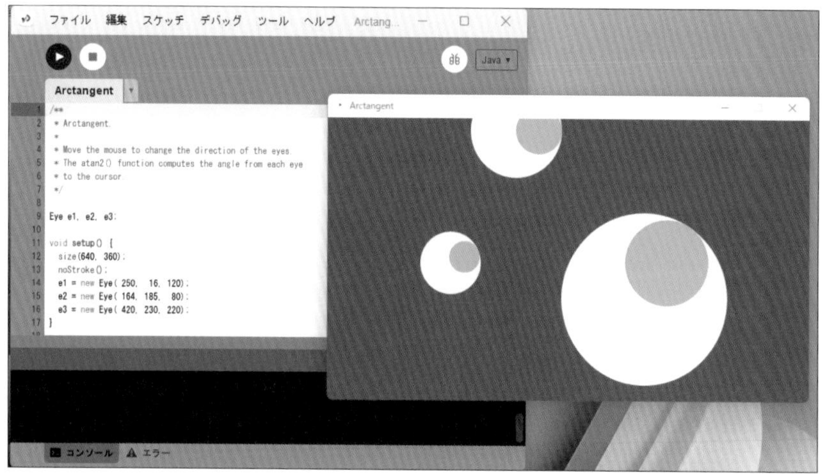

Processingのコードと実行例

7-2

コンセプトデザインとプロトタイプ

PowerPointやHTML+JavaScriptによってコンテンツを作成できる技能を習得したとしても、「伝えるべき内容」がなければオリジナルのコンテンツを作ることができません。ここでは、コンテンツ作りに欠かせない、**コンセプトデザイン**というものについて説明します。

例えば、「オムレツの作り方」というコンテンツを作りたいとしましょう。一口にオムレツの作り方といっても、作り方は一つだけではありません。「懐かしい家庭の味」や「洋食屋○○風アレンジ」「和風だしであっさり仕上げる」など、味の面でのコンセプトだったり、「子どもが楽しんで作れる」「忙しい兼業主婦におすすめ」といったコンセプトなども考えられます。このとき、作ろうとしているコンテンツに関わるキーワードをすべて洗い出し、とにかく文字として書き出してみることが重要です。書き出されたキーワードを整理し、まとめていくことで、作りたいコンテンツの具体像が見えてきます。これがコンセプトの柱となります。コンセプトを決めたら、グループで取り組んでいる場合はデザインを担当するメンバー間でコンセプトデザインを共有します。コンセプトデザインを共有しないと、メンバーごとにデザインの方向性が発散してしまい、どのようなものを創ればよいのかがわからなくなってしまうからです。

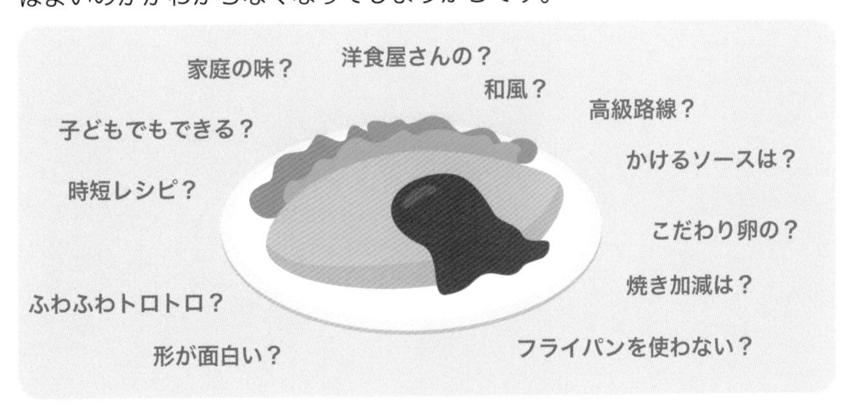

コンセプトデザインが定まり、メンバー間で共有ができたら、実際のコンテンツ作成にとりかかりたいところですが、まず、**プロトタイプ**（試作品）を創ることで、コンテンツのイメージに相違がないかを確認します。プロトタイプは、例えばWebコンテンツなら、最初からHTMLなどで記述していく必要があるかというとそうではありません。プロトタイプはできるだけ素早く確認できることを重視しますので、なるべく簡便な方法で作ることが望まれます。

例えば、紙にペンなどで書いて作成する方法があります。この方法は、一般に**ペーパー・プロトタイピング**と呼ばれます。ペーパー・プロトタイピングのメリットとして、まず、特殊なものを必要とせず、思いついたらすぐに作成を開始できる点が挙げられます。ペンと紙があれば、思い描いているコンテンツ像を表現できるのです。また、コンテンツを作成する前に使いやすさや必要な機能を検証できる点も大きなメリットです。実際に作成し始めてしまっていたら、仕様変更することで無駄になるものが出てきてしまいますが、ペーパー・プロトタイピングなら、何度でもやり直すことができますし、仕様書のような文書だけでは気づけなかった問題点にも気づきやすくなります。そして、もう一つのメリットとして、ペーパー・プロトタイピングを通じて、コンテンツ作成に関わるメンバー間で議論がしやすくなる点が挙げられます。紙ベースなら理解しやすいですし、より多くの人に作成前のコンテンツを体験してもらうことができ、多くのフィードバックを得ることができます。

ペーパー・プロトタイピングを作る際に注意すべき点に、あくまで試作品なので細部まで作り込み過ぎないことがあります。はっきりしない部分は抽象的に表現しておくことで、他のメンバーが意見を出しやすくなります。また、コンテンツの配色や文字フォントの種類などは、ペーパー・プロトタイピングの段階では細かく指定する必要はありません。

ペーパー・プロトタイピングの例

デジタルの作成支援ツール

Web アプリなどの UI のプロトタイプ作成支援ツールとして、「Figma」「Adobe XD」「Prott」などさまざまなものが存在しています。いずれも簡単な UI デザインを行うことができるだけでなく、ファイルを共有して共同で編集したり、アニメーションを導入したりすることができるので、ペーパー・プロトタイピングでは表現しにくかった動的な UI・UX のプロトタイピングを素早く行うことが可能です。コンテンツ制作者がリモートワーク主体のため普段は遠隔でのミーティングのみといった場合にも、このようなツールの活用が有効です。

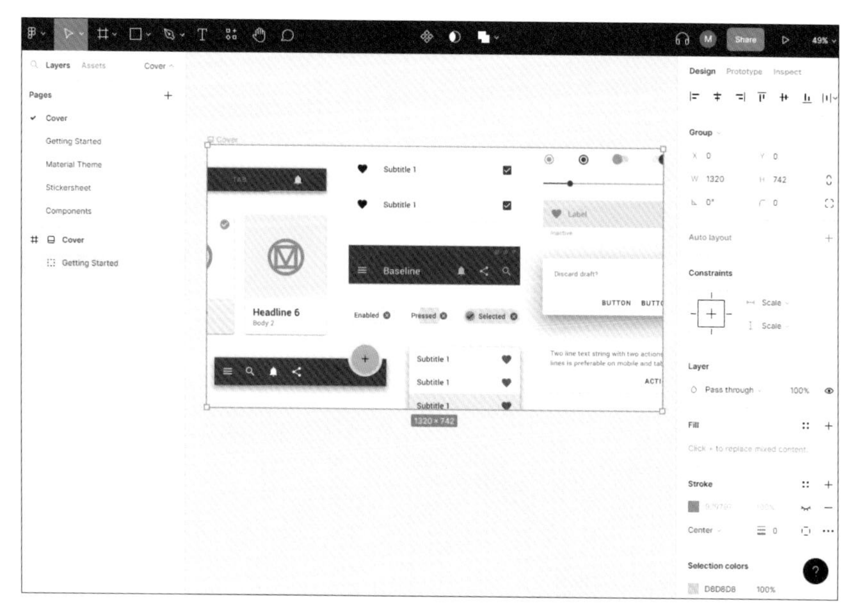

Figma の操作画面（https://www.figma.com/）

Prott の操作画面（https://prottapp.com/ja/）

コンテンツの発信と評価

この章で学ぶ主なテーマ

コンテンツの発信
コンテンツ配信後の注意点
コンテンツの評価と改善

「身近なモノやサービス」から見てみよう！

みなさんはテレビを毎日観ているでしょうか？　若年層の方ならテレビよりもYouTubeやTikTokを毎日欠かさず視聴しているという人も多いかもしれません。

今のように動画共有サイトが一般的になるまでは、動画といえばテレビ放送やビデオ録画で観るものでした。また、動画の制作や配信スタイルが、テレビ局や映画制作会社などが膨大な費用をかけて作り上げた映像を公共の電波を通じて全国に同時配信するものから、個人や少数のチームが比較的低予算で企画・撮影・編集し、インターネットを通じてオンデマンド（またはライブ）配信するものへと移行してきています。

また、YouTubeやTikTokなどで配信されている動画の多くが、テレビ番組や映画などよりも短い視聴時間で楽しめるものであり、このことがZ世代と呼ばれる若年層からの支持を集める要因の一つになっています。話題の動画も観ながらLINEやInstagram、TwitterをはじめとするSNSを常にチェックし、さらにインターネット上に溢れかえる膨大なコンテンツから必要な情報を過不足なく収集するのはとても大変です。

最近の若年層は、最新の話題に乗り遅れたくないけども時間を節約したいので、手っ取り早く内容をチェックするために倍速で動画を視聴するなど「タイパ（タイムパフォーマンス）」を重視する傾向があるそうです。オンデマンド配信されている大学の講義の動画が、多くの受講生により倍速再生されていたという調査結果もあります。

一方で、自分が本当に興味のあるコンテンツに関しては倍速視聴しないそうなので、情報過多の世の中に適応して、情報の取捨選択を上手に行っていると捉えることもできます。今後は、多くの人に倍速視聴されない、細かいニュアンスや空気感を時間（間）で伝える工夫をしたコンテンツ作りが重要になってくるのではないでしょうか。

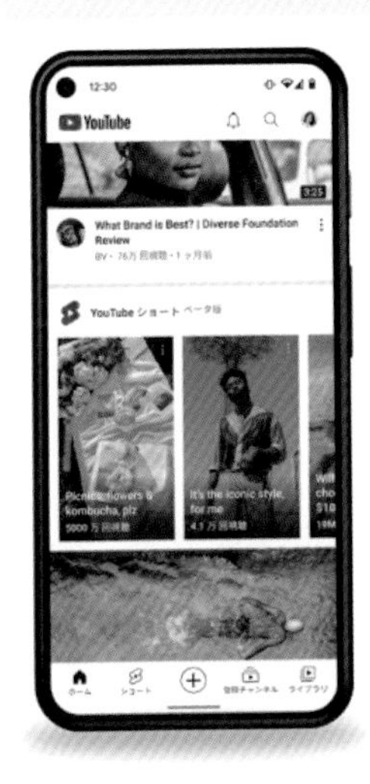

2020 年に TikTok が登場したその翌年に、60 秒以内の短い動画が投稿できる YouTube ショートが日本でも開始された（日本版 YouTube 公式ブログより　https://youtube-jp.googleblog.com/2021/07/youtubeshorts.html）

8-1

コンテンツの発信

コンテンツが完成したら、コンテンツを発信する必要があります。Web サイトで公開するだけでなく、ソーシャルメディア上で Web サイトへのリンクを紹介するとより効果的でしょう。ここでは、Web サイトへの掲載の仕方や、ソーシャルメディアや広告を活用したコンテンツ配信の方法などについて説明します。

Web サイトへのコンテンツ掲載……………………………………

Web サイトは情報化社会の現代では、情報発信における大きなウエイトを占めるようになっています。世界情勢や最近流行している出来事などは、TV やラジオよりも先に Web サイトを経由して知ることが多くなってきています。では、私たちが普段インターネット上で閲覧している Web サイトは、どのようにして作られ、配信されているのでしょうか？

インターネットにアクセスできる環境があれば、誰でも Web サイトを構築し、情報発信することが可能です。一昔前であれば、インターネット接続のプロバイダ会社（接続事業者）が提供している Web サイト用のフリースペースがあり、そこに個人的に作成した Web ページを設置するというのが一般的でした。このような形式の Web ページを開設し運営するためには、プロバイダ会社に契約料を支払う必要があります。最近では、広告などが表示される代わりに完全に無料で使える Web 上のスペースがあったり、Google のアカウントを持っていれば個人の Web ページを作成できる「Google サイト」というサービスもあります。Web ブラウザ上でページレイアウトを編集できるため、作ってすぐにその場で公開といったことも簡単にできます。

このように従来よりも簡単に Web サイトを個人で開設できるようになったこともあり、インターネット上には膨大で多種多様な情報があふれ

Google サイト（https://sites.google.com/）

るようになりました。その結果、信頼できる情報もあれば、真偽が定かでない情報もインターネット上にはたくさん存在します。情報の正しさは、受け手側の判断にゆだねられることもありますが、ファクトチェックと言って、真偽をチェックすることにより、誤った情報がインターネット上にまん延しないような取り組みもあります。しかし、どれだけ多くの人が頑張ってファクトチェックしたとしても、日々出現するすべての偽情報のチェックができるわけではありません。情報を発信する側としては、自分が公開する Web サイトに誤って偽情報が掲載されることがないよう、事前のチェックは怠らないようにしましょう。特に自分が詳しくない分野の情報を掲載する場合には、情報の出所が信頼できるかどうかを確認し、もし不明な点がある場合には掲載しないという判断をしましょう。偽情報の拡散に加担するようなことがないよう、また、自分自身が偽情報に翻弄されないように見極める力を身に付けてください。

ソーシャルメディアや広告を活用したコンテンツ配信 ………

Web サイトでの情報発信と同様かそれ以上に、多くの人の目に触れる機会があるのがソーシャルメディア上のコンテンツです。ソーシャルメディアと言えば、Twitter や Facebook、Instagram などが思い浮かぶと思います。これらのメディアは、まとまった量の情報を発信しなくてもよいので、Web サイトやブログよりも手軽に利用できます。その反面、多くの人にとって不要であったり不快な情報も大量に存在します。こうした大規模な情報発信空間でコンテンツを配信するときには、どのようにしたら多くの人に自分のコンテンツを見てもらえるか工夫しないといけません。しかし、人目をひくために意図的に誇張して宣伝したり、過激な内容を SNS やブログ上に掲載して注目度や認知度を高めようとする行為は**炎上商法**（**炎上マーケティング**）と呼ばれ、決しておすすめできることではありません。炎上商法によって一時的に注目を集めるという目的は達成できるかもしれません。しかし、中身のないものでは当然長続きはしませんし、虚偽の内容や他人を誹謗中傷するようなことが書かれていればクレームが殺到し、最悪の場合、SNS の運営側からアカウントの使用を停止されることがあります。炎上商法をする張本人になってはいけませんし、炎上商法に踊らされて加担するようなことがあってもいけません。

　また、広告を活用してコンテンツを配信する方法もあります。インターネット上の Web サイトに「バナー広告」が表示されることがあります。興味を持った人がそのバナーをクリックすると、商品の説明や商品購入のページに誘導されます。バナーのサイズや表示頻度によって広告料が異なります。また、より多くの人に見てもらうためにはバナーのデザインも大切になってくるでしょう。

8-2
コンテンツ配信後の注意点

コンテンツを作成し、配信した後は、そのコンテンツを視聴した人の反応が気になるはずです。情報を発信した人は、その情報を発信した段階で責任がなくなるのではなく、情報を公開している間は情報元として責任を持ち続けなければなりません。たとえ、誰かから聞いた二次的な情報であっても、情報を公開する以上、それが正しくなければ自分が訂正し、情報の更新を適宜行わないといけません。もちろん、配信したコンテンツを見た人が情報の真偽について疑問を呈した場合には、きちんと向き合って問題解決に当たる必要があります。

また、コンテンツを誰に向けて、いつ配信するのかにも気を配りましょう。共有や公開範囲の設定を変更したり、YouTubeなどの動画共有サイト（動画配信プラットフォーム）の場合、動画コンテンツの配信期間を設定したりもできます。ある期間だけ配信したいコンテンツがある場合に、期間限定で「プレミア公開」の形をとることができます。また、PowerPointやWordなどで作成されたコンテンツでも、Webベースバージョンに変換すればWebブラウザ上で閲覧できる形式で配信することができます。

ここでは、主に動画コンテンツの配信を対象として、配信時や配信後の注意点について説明します。

オンデマンド配信とライブ配信の違い

Web上で動画コンテンツを配信する際に、**オンデマンド形式**と**ライブ配信**という２つの形式があります。オンデマンド形式の配信では、視聴者側が視聴したいときに視聴したいコンテンツを指定して観ることができます。視聴者は、YouTubeなどの動画配信のプラットフォームやWebサイト上の動画掲載ページを訪れて、好きな動画コンテンツを見つけて再生します。このとき、動画コンテンツは**ストリーミング再生**という方法により再生されます。ストリーミング再生とは、動画や音楽コンテンツをダウンロードと同時に再生する方法で、視聴者の手元のコンピュータにコンテンツのデータが残らないため、ストレージを圧迫することがありません。一方で、再生するたびにインターネットを通じてデータをダウンロードするため、いったんすべてのコンテンツファイルをダウンロードしてから繰り返し再生するよりも、多くの通信容量が必要になるというデメリットがあります。

ライブ配信とは、テレビ放送でいうと生放送にあたる配信方法です。配信と同時に再生する方法になるため、通信環境などによって多少の時間差が生じることはありますが、基本的には決められた配信日時にのみ視聴できる形式になります。ライブ配信の場合も、オンデマンド配信と同様に、ストリーミング再生が利用されます。

◆ 配信者側にとっての主な違い

	オンデマンド配信	ライブ配信
目的	配信そのものが目的	リアルでのイベントが主体
動画時間	比較的短尺	比較的長尺
必要な機材	パソコンやスマートフォンがあれば可能	プロ機材（カメラ、音声、照明）があればベター
メリット	撮り直しができる／アーカイブ・再利用がしやすい	臨場感を伝えられる／最新情報を届けられる／視聴者とコミュニケーションを取りながら配信できる
デメリット	撮影や編集に時間とコストがかかる	撮り直しができない／（イベントへの）集客力が必要

コンテンツ配信の設定 ……………………………………………

そのコンテンツを誰に見てもらうのか？　対象年齢を設定したり、コンテンツのカテゴリを設定したりすることができます。そのコンテンツを見たい人（見てほしい人）に見つけやすくする工夫も、コンテンツを配信する側の役目だと言えます。日本人向けに作成した動画コンテンツを、海外の人が見つけて世界中の人に広めてくれる場合があります。こうした場合に備えて、多言語対応にしておくとよいでしょう。動画コンテンツに英語字幕を自分で用意して設定しておけば、世界中の人に視聴してもらえる可能性が高くなります。最近では、動画内の音声認識を自動で行い、字幕を自動で作成してくれる機能もありますが、こちらが意図しない内容に翻訳されてしまう危険性があるため、自分で作成するか、最後は自分で確認しておくことをおすすめします。

オンデマンド配信の場合には、視聴者の側が好みの速度に変えて再生する場合があります。倍速で観ても内容がわかるように音声ははっきりとゆっくりめに話したり、字幕の場合は一度に表示する文字数を少なめにしたりするなどの工夫があるとよいでしょう。

他にも、動画を再共有することを可能にするかどうかの設定ができます。再共有は、視聴者のブログやWebページ内で、動画コンテンツの埋め込みリンクを入れることで行われます。このような再共有を可能にしたい場合は、設定で「埋め込みを許可」しておかないといけません。その動画を不特定多数に拡散してほしくない場合は、埋め込みを許可しない設定にしておいた方が無難です。

コンテンツ配信後の注意点

動画コンテンツは配信プラットフォームにアップロードすればそれで終わりではありません。そのコンテンツをどのような手段で視聴者に知らせるのかも考えないといけません。また、コンテンツに不備がある場合にはすぐに対処しないといけません。１回限りのライブ配信と違い、オンデマンド配信の場合は、情報が古くなることで正確でない情報を伝えてしまう可能性があるため、コンテンツ自体を更新したり、何らかの形で補足することが必要になります。場合によっては配信停止も考えないといけません。

8-3
コンテンツの評価と改善

新聞や書籍などのこれまでの紙媒体と違って、動画配信プラットフォームなどに配信した動画コンテンツは更新しやすい点もメリットの一つです。内容に不備があれば修正したり、視聴者のコメントをフィードバックして改善することができます。作成者自身が気づきづらいことを、視聴者が知らせてくれることもあります。コンテンツ投稿後はコメント欄に記入された視聴者からのフィードバックコメントは常にチェックするようにしましょう。視聴者やプラットフォーム管理者によってコンテンツ自体に問題があると判断された場合には、配信を停止されることもあるので、自分が作成し配信しているコンテンツがどのように評価されているのか気にするように心がけましょう。

コンテンツがあまり視聴されていなかったり、視聴されていても低評価数が高評価数を上回るようなら、内容を見直すようにしましょう。YouTube にはチャンネルのダッシュボード、および公開している動画の分析情報のページがあり、動画コンテンツごとの視聴回数や再生時間数、人気の動画コンテンツの確認などができます。自分が公開した動画コンテンツに対して得られた評価を自分なりに分析することができれば、今後のコンテンツの改善に役立てることも可能です。例えば筆者は、授業で使う動画コンテンツは基本的には受講者以外には公開していませんが、公開期限を設けて、毎年ブラッシュアップし、改善することを心がけています。

コンテンツの評価を視聴者ができるように設定しておくことだけでなく、コンテンツの著作権を設定しておくことも重要です。著作権の設定は、コンテンツの内容をそっくりそのまま別の場所で掲載されてしまうことを防止するためです。YouTube では、動画コンテンツを自動解析して、動画内に著作権で保護されたコンテンツが含まれていないかどうかを判定しています。もし、著作権で保護されたコンテンツが含まれていれば、その動画コンテンツを削除したり、著作権者に対して使用許可を得る必要が出てきます。

例えば、YouTube内の動画の一部を抜粋したい場合などがあるとしましょう。その場合は、自分で、その動画を公開しているユーザに問い合わせて使用許可を得る必要があります。また、BGMなどで使用したい音楽は基本的には著作権フリーのものを探してきて使用するか、自分で作曲したものを利用するなどが考えられます。音楽や効果音が見つからなかったり、自分で制作できない場合には、動画内で使用可能なBGMやサウンドエフェクト（音響効果）がYouTubeのオーディオライブラリとして公開されているので、その中から探すとよいでしょう。

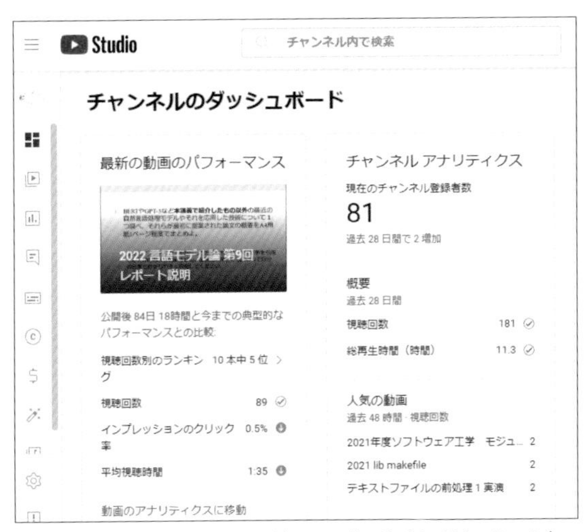

YouTubeにおけるチャンネルのダッシュボード（YouTube Studio）

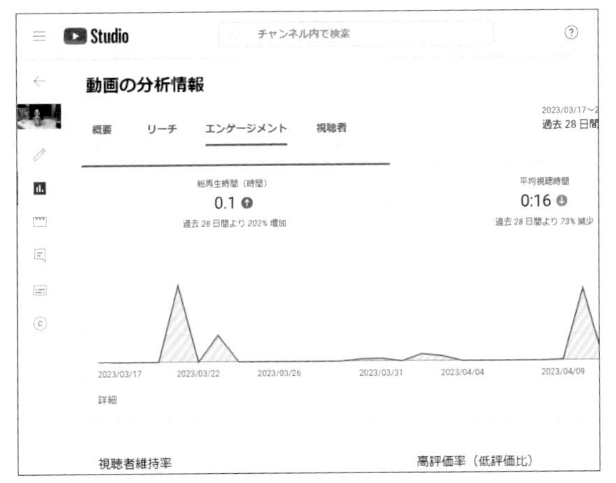

動画の分析情報（YouTube Studio）

掲示板やアンケートによる評価

YouTube以外の、例えばWebサイトなどで公開したコンテンツの場合は、視聴回数を自動で取得するしくみがない場合もあります。そうした場合には、そのサイトを訪れた人に意見を書き込んでもらうための電子掲示板を導入したり、アンケートフォームを準備して評価を直接確認する方法を取ることができます。「WordPress」というブログページ作成のためのオープンソースのソフトウェアでは、プラグイン（拡張機能）として掲示板をブログに簡単に追加することができます。また、「Googleフォーム」やMicrosoftの「Forms」などを使うと簡単にアンケートフォームが作成でき、回答を集計することができます。

WordPressによるブログ作成（WordPress.com）

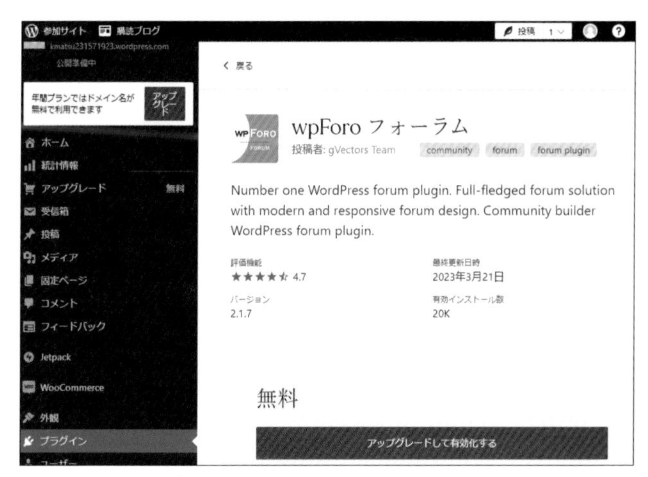

WordPress のプラグインによる機能追加（Forum 機能）

Google フォームによる評価アンケートの作成

Keyword

▶ PNG 形式

Portable Network Graphics の略。画像データを圧縮する形式の一種。フルカラー画像を劣化させることなく圧縮できるため、図やイラストを保存する用途に向いている。フルカラーとはコンピュータ上で表現する色数の設定名であり、1677 万 7216 色での表示がフルカラーと定義されている。PNG 形式の画像ファイルの拡張子には、一般に「.png」が用いられる。PNG 形式では、透過色を指定することで背景を透明にできる。

▶オブジェクト

オブジェクトとはプログラミングにおいて、現実に存在する具体的な物体（モノ）を表現するために使う概念のこと。例えば、「人」「パソコン」「自動車」「ゲーム機」などを指す。プログラミングの方法論に「オブジェクト指向プログラミング」というものがあるが、これはオブジェクト間のメッセージのやりとりやオブジェクトの操作によりプログラムを作っていく、オブジェクト中心のプログラミングのことを言う。

▶クラス

クラスとは、オブジェクト指向プログラミングで用いられる概念のことで、簡単に言うと、クラスというのは何かのモノ（オブジェクト）をプログラミングで表す際の設計図のことを指す。例えば、「動物」というクラスを作ったとき、そのクラス（設計図）をもとに「猫」というオブジェクトを作成することができる。

▶深度センサ

３Ｄセンサや三次元センサとも呼ばれる。対象物までの距離をカメラによって可視化し、物体の形状を三次元で取得することができる。深度センサを実現するしくみはいくつかあるが、主なものに、レーザー光を照射して物体に当たってから跳ね返ってくるまでの時間を計測することによって距離や方向を計測する方法がある。

情報デザインの未来

この章で学ぶ主なテーマ

社会に開かれた情報デザイン
AI の台頭と情報デザイン
未来の情報デザイン

「身近なモノやサービス」から見てみよう！

みなさんの中には、AI が人間と同じような仕事を本当にできるのかと疑っている人も多いかもしれません。人間が持つ「感性」が重視されるような仕事にはAI は向いていないのではないかとも言われています。感性が必要とされる仕事として、まず思い浮かぶのはグラフィックデザイナーなどのデザインや芸術関係の仕事です。

パッケージデザインにAI を活用した例に、おなじみカルビーのポテトチップスがあります。

カルビー株式会社プレスリリースより
(2020/9/24)

と言っても、この例はAI が一からデザインを生成したのではなく、人間のデザイナーによって作成されたいくつかのデザイン案をAI が見て複数の観点からスコアをつけるという「評価システム」としての利用でした。あらかじめ取得している顧客の意見などもデータとして与えて評価しているため、人間の判断が含まれてはいるのですが、どのパッケージにすると売れ行きがよくなるのかをAIに判断してもらうというのは、われわれ人間の感性よりもAIの判断を信頼しているようで少し複雑な気持ちになりますね。

ところで、最近になって画像生成AIが世間をにぎわせていますが、その実力はいかなるものなのでしょうか？

AIが生成したイラストの例

やがて近い将来、絵画や音楽、映画作品においても（すでに一部のクリエイターから反発の声が上がっていますが）AIによる制作や評価が導入されるようになるでしょう。人事評価のためのAIも開発されているようです。もしかしたら、私たち人間の仕事がAIに奪われる前に、AIに仕事を管理される時代がやってくるのかもしれません。

9-1
社会に開かれた情報デザイン

より良い社会を構築するために、さまざまな要素を設計することを**ソーシャルデザイン**と呼びます。ソーシャルデザインがモノのデザインやUIのデザインと違うところは、モノやUIをデザインするときはその形状やユーザにとっての使い勝手などを考慮していましたが、ソーシャルデザインが対象としているのははっきりとした形を持たない社会全体であることです。ソーシャルデザインは社会のための制度やインフラなどを設計する「街づくり」「社会づくり」と同じような意味を持ちます。ここでは、ソーシャルデザインの中における情報デザインの在り方について説明します。

人間の社会は、製品やサービスがデザインされるように、人と人とのコミュニケーションや人と人とのつながり（コミュニティ）をデザインすることや、人々が生活する社会そのものに対するデザインを通して発展してきました。また、コミュニケーションの形態の変化が新たなデザインを生み出してきたとも言えます。その一方で、製品やサービスの形や作り、枠組みなどをデザインすると、そのデザインに沿って私たちの生活や社会が変化します。

例えば、パーソナル・コンピュータ（パソコン）の登場は、私たちのビジネスの形態を大きく変えました。ご存知の通り、インターネットの急速な発達により、対面や手紙、電話などの従来のコミュニケーション手段から、電子メールや電子掲示板、ソーシャルメディアやビデオ通話および遠隔会議のような、より便利かつ効率的なツールへの変換が起きました。こうしたツールのビジネス現場や一般家庭への浸透によって、日常生活のスタイルも大きく変化したと言えます。このようなツールを活かすためには、情報通信のためのインフラが不可欠です。いかに高性能なコンピュータを持っていても、通信のためのネットワークが敷設されていない地域では、遠隔で情報を得ることも配信することもできません。そのため、人々がいつでもどこでも便利にインターネットを利用できるように、例えば高速無線通信インフラを設計することは、ソーシャルデザインの範疇と言えます。

また、音楽や映画などのコンテンツをインターネット経由でオンデマンド配信したり、最近では**サブスクリプション**と言って、コンテンツ配信会社を通して、定期的に決まった料金を支払えば、その期間、登録されているどのコンテンツも視聴できるようなしくみが構築されています。このしくみは、通信インフラの整備と情報端末の高性能化により実現したものと言えますが、これも、社会におけるコンテンツビジネスの在り方を変革させたソーシャルデザインです。

ブロックチェーンとNFT

みなさんは「ブロックチェーン」や「NFT」という言葉をどこかで聞いたことはないでしょうか？

ブロックチェーンとは「ビットコイン」などの**仮想通貨**で用いられたことにより一躍脚光を浴びた、暗号技術を用いて取引記録を分散的に処理・記録するデータベースの一種です。ネットワーク上に分散して存在するコンピュータに処理させることができるため、銀行などの中央機関が取引記録を一元管理する方法と異なり、中央機関のシステムがダウンしても継続性が保たれるというメリットがあり、しかも情報を改ざんされにくく、透明性が高くなります。通常の金融取引では、銀行などの「中央」となる機関が取引記録を処理・記録する代わりに利用者に手数料がかかるというしくみが一般的ですが、ブロックチェーンを用いた仮想通貨の場合には、そうした中央機関が存在しない代わりに、第三者による**マイニング**という仮想通貨の取引台帳に取引の記録を書き込む作業が存在します。マイニングには複雑な計算が必要で、コンピュータのマシンパワーを必要とするため、マイニングした作業者に報酬が入るというしくみになっています。ただし、マイニングするにはそれなりの計算量がかかり、そうした計算に対応できるコンピュータを利用できる一部の人々や企業（富豪マイニング企業）だけが恩恵を受けるという負の側面も存在します。

このように中央集権型システムとブロックチェーンシステムとでは、取引の処理の仕方に大きな違いがあり、双方にメリットとデメリットがあります。すべての金融取引がブロックチェーンシステムに置き換わることはまだまだ遠い未来のことのように思えますが、今後の技術革新でブロックチェーンのデメリットが克服されれば、すべての通貨が仮想通貨に置き換わる日が来るかもしれません。

NFT は、Non-Fungible Token の略で、日本語では「非代替性トークン」と呼ばれるものです。これは一体何かというと、従来、デジタルで作成されたコンテンツ（音楽、画像、映像など）は、容易にコピーができてしまうため、価値が付きにくいものでした。例えば、絵画なら、アナログで作成されたものは基本的にこの世に一つしかなく、数千万円や数億円の価値が出るものがありますが、デジタルで作成されたものにそのような価値がつくことは稀です。デジタルだとコピーできるので、その作品を売却した人の手元にもデータが残り、希少価値がなくなってしまいます。つまり、デジタル作品は価値を高くしづらいのです。このことから、そのデジタル作品が本物かどうか（コピーではないオリジナルかどうか）を唯一証明する、偽造することのできない鑑定書および所有証明書を付与する技術として NFT が生み出されました。NFT は仮想通貨（暗号通貨）に利用されている先ほど登場したブロックチェーンを応用して作られています。従来から、売却や購入をした人が誰なのかを示す識別 ID をデジタルデータに埋め込む電子透かしなどの暗号技術はありましたが、これはコピーや改ざんを防ぐことができる技術ではありませんでした。仮想通貨が簡単に偽造できないのと同様、NFT は参加者が相互に検証し合うことによって改ざんやコピーがほぼできないしくみになっています。

仮想通貨をはじめとするデジタル資産は、今後も増えていくと思われます。今の技術ではコピーや改ざんを完全に防ぐことはできないかもしれませんが、今までコピーし放題であった作品の価値や著作権を、制作者が正当に証明できるようになり、作品の購入者にとっても資産として所有できるようになるというメリットが生まれたことはとても大きく、NFTの登場はデジタルアートに携わる人にとって重要な転機になったと言えるでしょう。

手塚プロダクションが販売した「鉄腕アトム」を題材にしたNFTアート。40,000点以上の漫画原稿をモザイク状に並べてキャラクターや背景を描いている。わずか1時間ほどで完売し、売り上げの一部はユニセフなどに寄付された（From the Fragments of Tezuka Osamu ウェブサイトより　https://tezuka-art.nftplus.io/ja）

地域社会と情報デザイン

ここまで、ソーシャルデザインに関連する最近話題の技術について述べました。実際には、急激な情報化や技術革新は、その地域に住んでいる人々の暮らしを良くすることができるのかを十分に議論しなければなりません。むやみやたらに新しいものを取り入れれば何でも良くなるということではなく、地域社会に根付いた情報デザインの在り方を地域に住む人々と共に考える必要があります。

例えば、徳島県には阿波踊りという伝統的なお祭り文化があります。伝統的な文化を最新技術と融合させることで、特に若い人に興味を持ってもらおうと「阿波踊りVR」が開発されました。これは、お盆期間中の演舞場や市街地を再現した仮想空間を、VRヘッドセットを装着することで疑似体験できるものです。ここ数年のコロナ禍により、阿波踊りを間近で観覧することができない観光客のニーズにも対応しています。

徳島市「阿波おどり会館」内に設置されたVR体験スペース。ゴーグル型のヘッドセットを通して、360度カメラで撮影した4K映像を楽しむことができる（イーストとくしま観光推進機構ウェブサイトより https://www.east-tokushima.jp）

地域の観光事業や伝統行事にVRなどの最新の情報処理技術をうまく組み合わせた事例は他にもたくさんあります。VRを使って旅行気分を家にいながら味わえるものが旅行会社から提供されるようになってきています。下見のような感覚でVRで体験し、その地域に興味を持ってもらうことができれば、新規旅行客を増やすことにつながるという利点もあります。しかしながら、目新しいだけのコンテンツだと、すぐに飽きられてしまいます。また、旅行会社の社員目線で作成していても決して良いものにはならないでしょう。その地域に実際に住んでいる人々がコンテンツを作成する側として情報デザインに関わることによって、より良いものを創ろうという機運が高まります。地域の人々が自分たちの住みやすい街にしようと、共に街づくりができれば、地域社会のための理想的な情報デザインが実現します。こうしたことは、観光以外の産業についても同様です。

9-2

AI の台頭と情報デザイン

近年、人工知能（AI：Artificial Intelligence）が多方面でもてはやされるようになってきています。AI がいろいろな分野で実用レベルに発達すると、「人間の仕事を奪ってしまうのでは？」という心配までされるようになっています。機械（コンピュータ）は人間が苦手な複雑で大量の計算を人間の代わりに文句を言わずにやってくれますが、創造的な作業は苦手です。特に、小説の執筆や絵画の作成など感性を必要とするような作業は、機械には難しいのです。

しかしながら近年、これまで人間が機械よりも得意としてきた芸術作品の制作や職人技のような作業を AI にさせることを目指した研究が進められています。Google が 2015 年に開発した「DeepDream」は、インセプションと呼ばれる深層畳み込みニューラルネットワーク（人工知能技術の一種）を用いて画像を解析し、画像内の物体を別の類似する物に変換するような処理を行います。この処理によって、次の画像のような、まるで夢か幻覚でも見ているような不思議な模様が浮かび上がります。

DeepDream により生成された画像（元の画像は筆者の顔写真）

また、次の一連の画像は「Stable Diffusion」というテキスト情報から画像を生成するAIが作り出したものです。どれも「大学入試の勉強をする大統領」というテキストを入力した結果得られた画像ですが、お題の通りと言えるそれらしいものになっています。登場している人物は全員日本人のように見えますが、3枚目にはアメリカの国旗らしきものが背後にあり、「大統領」というイメージをしっかり表現しているように見て取れます。また、1枚目の画像は「勉強」をしているというよりは「受験」しているように見えますので、AIにとって細かなニュアンスの解釈はまだ難しいのでしょう。

Stable Diffusion（Stability AI、日本語モデル）で生成した画像

AI によるデザイン生成

AI による画像生成の精度は年々上昇していますが、音声や動画もディープフェイクという偽動画の生成技術を使えば、同様に高精度なものを生成できるようになってきています。これらの精度が今後さらに向上すれば、人間が作ったものと同等以上のものを AI が自動生成できるようになるかもしれませんし、AI が膨大なデータを知識として蓄えることによって、さまざまなものを生成できるようになれば、人間に匹敵する創造性を持ちうることは想像に難くありません。

例えば、AI が情報デザインできるようになれば、お粗末な UI や UX を世の中から減らすことに役立つでしょう。ただ、AI が勝手に学習してくれるわけではないので、人間が「良い」「使いやすい」と感じるような UI や UX とそうでない UI や UX の例をより分けて、コンピュータに大量に学習させることが必要です。これができれば、情報デザインの良し悪しを自動評価する AI も実現できそうです。

でもよく考えてみてください。もし、情報デザインを自動生成したり、良し悪しを評価する AI が実現してしまえば、私たちは自分の頭で考えなくなってしまわないか、という心配があります。当然、AI に任せられる部分もありますし、そうでない部分もたくさんあります。AI が間違った判断をしないとも限りません。今後も情報デザインに関しては人間が率先して新しい枠組みを作っていくことになるでしょう。そして、情報デザインのサポートをする AI によるデザイン自動生成や自動評価も有効に使われるようになると思います。

一方、対話 AI による差別発言や AI に基づく人事決定システムが特定の属性の人材を優先して採用する判断を下してしまうことなどが実際に起きており、AI は倫理面で問題を起こす可能性があるので使用できないという指摘もあります。今後、AI がそのような問題を起こさないような設

◆ 生成系 AI をめぐる法的な論点

主な論点	懸念される事柄	現時点での解釈や対応
学習データの権利問題	AI の学習に他人の画像や文章を勝手に収集して利用することができるか	米国や EU など各国で異なるが、日本の著作権法上は権利侵害に該当しない可能性が高いと考えられる
生成物の著作権問題	AI を利用して自動生成した生成物に著作権は発生するか、発生するならば誰の権利になるか	人による創作の意図や創作的寄与の有無が関係するが、基本的には AI による創作物には著作権は発生しない
その他権利侵害の懸念	AI を利用して画像や文章を作成・利用することは著作権・肖像権の観点で懸念はないか	既存の著作物と同一／類似の著作物が出力された場合の権利侵害は依拠性(利用者側が模倣しようとしたのかどうか)が判断の分かれ目になる。また、特定の作者の著作物だけで学習させた生成系 AI の提供者も責任を問われる可能性が高い

NTT データ「DATA INSIGHT」技術ブログ「生成系 AI の最新動向と法的懸念点」2023/4/21 をもとに作成(https://www.nttdata.com/jp/ja/data-insight/2023/0421/)

計を実現するために、法律家や政治家、情報学の研究者らと情報デザインに関わる人々が一緒になって検討する必要があるのです。このように多様な立場の人々がそれぞれの意見を持ちより話し合いながら物事を決定するといった総合的な検討は、今のところ、私たち人間にしかできない仕事だと言えるでしょう。

AI によるレイアウト自動生成……………………………………

Web 上の画面や、広告、プレゼンテーションなどにおいて、情報をどのように配置するかは重要事項にもかかわらず、私たちはあまりに無頓着にそれに取り組んでいないでしょうか？　もちろん、情報が伝わればそれでよい、多少わかりづらくても必要な情報がすべて含まれていればそれで十分という場面も多いと思います。しかし、情報をうまく、わかりやすく、誤解なく伝えるデザインを考えることは、どのような仕事をしていても直面する問題です。通常、レイアウトを工夫することで、情報を効果的に見せることができます。しかし、Word や PowerPoint といったツールに最初から用意されているレイアウトデザインは、お世辞にも情報を効果的に伝えることができるものとは言い難いです。そのまま使っても伝わる内容なら良いですが、多くの場合は、それぞれの情報の質や量に適したレイアウトデザインを考える必要があるのです。

このレイアウトを AI によって生成しようとする試みがあります。「LayoutGAN」というグラフィックのレイアウトを自動生成するモデルです。GAN（Generative Adversarial Networks）とは、日本語では「敵対的生成ネットワーク」と呼ばれ、正解データを与えなくても特徴を学習してくれる**教師なし学習**と呼ばれる手法の一種です。では「敵対的」と呼ばれるのはなぜでしょうか。まず、学習において、Generator（生成器）が、教師なしデータ（正誤のラベル情報が付いていないデータ）をもとにノイズを加えるなどしながら模倣して偽情報を自動生成します。それを、Discriminator（判別器）が、正しいデータであるかどうか判断します。学習が進んでいくと、Generator は Discriminator をうまくだませるようになります。つまり、本物との区別がつかないような高精度なデータを自動生成できるようになるというわけです。

LayoutGAN では、正解データを与える代わりに、情報（ここでは画像）がどのような位置関係で並べられているのか、という情報だけを与えます。このような情報を大量に準備し、どんな画像がどんな画像とどのような位置関係にあるのかを学習します。準備するデータは、基本的には正しいレイアウトのものです。学習を終えた LayoutGAN は、画像が与えられたときに、それらを適切なレイアウトに配置します。次の図は、何種類かのクリップアート（少年、少女、太陽、メガネ、帽子、木）をある場面ごとに配置する問題を、LayoutGAN と現実のデータ（正しいレイアウト）とで比較したものです。LayoutGAN を使って、現実のデータに近いレイアウトを自動生成できているのがわかります。

LayoutGAN により自動生成されたレイアウト

正解データのレイアウト

一方で、グラフィック要素の他にテキストなどのコンテンツを同じようにレイアウト上に配置する場合は、さらに複雑になるので、このようにうまくはいかないかもしれません。

AI を体験してみよう

情報処理技術としての AI が私たちの社会に進出してきて、私たち人間が本来得意としてきた芸術やデザインのような仕事まで可能になってきました。ここまでの話を聞いて、「そもそも AI は人が作るものだから自分にも作れるのかな？」といった疑問が湧いてきたのではないでしょうか。そうです。これまで AI と言えば、人工知能の研究者が集まるアカデミックな世界や大企業の研究所などで開発されているイメージがありました。現在の AI は、一般的には学習データを集めてコンピュータプログラムに学習させる**機械学習**（Machine Learning）という枠組みの中の人工ニューラルネットワーク（Artificial Neural Network）という技術によるものです。この技術の基礎となる考え方は古くからあり（アメリカの心理学者で計算機科学者のフランク・ローゼンブラットが 1957 年に考案)、単純な計算式を組み合わせて複雑な動きをさせています。

画像を認識する AI については、基本的な学習アルゴリズムがある程度確立されているので、最近では AI を自分で作成し、手軽に試せるツールが出てきています。具体的には、Google が提供している「Google Teachable Machine」や「Scratch」の拡張機能を使った AI プログラミングなどがあります。

Google Teachable Machine を使った AI の構築（https://teachablemachine.withgoogle.com/）

Scratch の拡張機能「TM2Scratch」を使った AI プログラミング

AI ファーストなのか人間中心なのか

ここまで、AI を利用することによって情報デザインを革新できる可能性があることに触れてきました。情報デザインという枠組みにおいて AI が人間にとって代わるという悲観的な見方をする必要はありません。現時点では、人間にとって AI は便利な道具に過ぎず、AI だけを使って新しい何かを創造することはほとんど不可能です。人間が正しい知識を与えてやらないとまともな判断をすることができない、不完全で、適用範囲によっては扱いづらくなってしまうものが AI なのです。AI を中心に据えると、人間の考えとはまったく違う考えに基づいて判断がなされてしまいます。人間が適切に誘導してやらないと、人間が意図しないような不気味な画像が生成されるなど、思ったような結果が得られないことが起き得ます。私たち人間は、AI に仕事を奪われることを恐れるのではなく、AI の間違った使い方が招く想定していなかった事態や、使い物にならない情報デザインを持つシステムを作ってしまうことを心配する必要がありそうです。

情報デザインと AI は一見、相性が悪いようにも見えますが、AI は高度な情報処理技術の産物であるため、同じ「情報」を取り扱うという点だけ見れば、相性は良いはずです。今後、より人間を中心としたデザインを創るために、人間と AI の共同デザインが増えていくことが期待できます。

9-3

未来の情報デザイン

最後に、情報デザインが今後どのように発展していくのか、どのような技術と融合して進化していくのかを、現在の情報デザインの課題や、これまで情報デザインの枠組みでは扱われていなかった「感性」や「共感覚」に対応するための感性情報デザインの事例を示しながら説明していきたいと思います。

情報デザインの課題 ………………………………………………………

文化によっても情報デザインを柔軟に変化させる必要があることを、第３章で述べました。異文化コミュニケーションにおいて、最初の障壁となるのが言葉の違いです。私たちが普段使っている母語を想定して情報デザインしたものを、そのまま外国語に対応させようとすると、無理が生じることがあります。今では、多言語対応しているソフトウェアは当たり前になってきていますが、一昔前は文字コードなどの対応が難しく、英語表記のみに対応したUIを採用したものが当たり前のように存在していました。UIが進化するにつれ、言語情報を極力減らすことによって、言語の違いに依存せずに使用できるものが増えてきましたが、今でも、メニューの表示言語などの問題は残っています。

例えば、英語で「home」というメニューは、日本語では「home」のカタカナ表記である「ホーム」と表示されます。しかし、日本人にあまりなじみのない英語の場合は、カタカナ表記するだけでは意味が通じにくいものがたくさんあります。開発者側はわからない用語はユーザが調べればよいと思うかもしれませんが、ユーザとしては、メニューに書かれている言葉の意味がわからないとそこから先の操作ができなくなりますので、たまったものではありません。マニュアルなどを読まなくてもある程度何をどのように操作すればよいかがわかるのが良いUIデザインなので、せっかく翻訳しても意味が伝わらない言葉になってしまっていたのでは本末転倒なのです。情報デザインにおいて言語はとても重要であり、言語の種類が違うだけで伝えやすさが変わってしまいますし、他国語に対応させようとするだけで対処すべきことが膨大に増えてしまうのです。

次の画面はスマートフォン用のニュース配信アプリ「スマートニュース（SmartNews）」の日本語版UIと英語版UIです。言語が変わってもUIに目立った変化はなく、どちらの言語もシンプルで違和感のない構成になっていることがわかります。このアプリのUIにおいて特に工夫されているのは、タブの配置や配色だけでなく、表示するニュース記事の選定アルゴリズムです。よく見ると、日英でタブの内容と色との対応関係が少しずつ違います。スマートフォンの狭い画面上では表示できる情報量が限られていますので、効果的な見出し文を表示することも重要です。似たようなアプリはたくさんありますが、スマートニュースのシンプルだけれども洗練されていてよく考えられたUIは、言語を問わずこのアプリが受け入れられる要因だと思います。

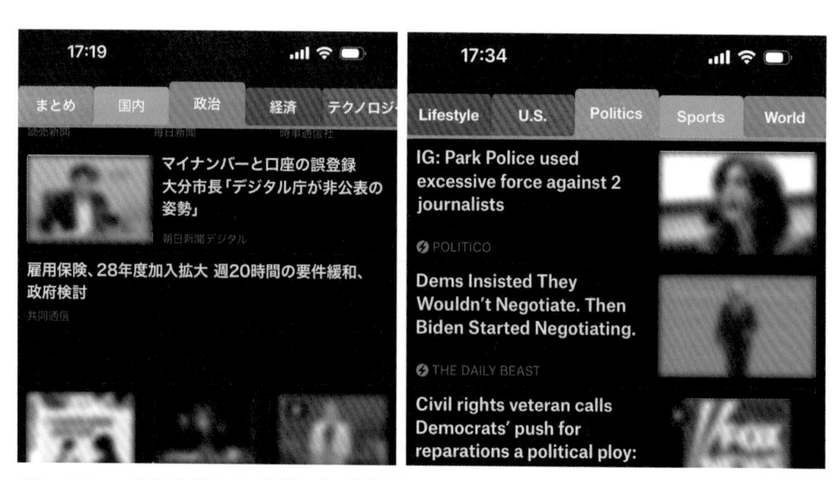

スマートニュースのUI（左：日本語版、右：英語版）

言語以外にも、情報デザインにおいて障壁となるものが存在します。それは倫理的問題や法律の問題です。Web デザインやプレゼンテーションのデザインなどにおいて、テンプレートと呼ばれる、あらかじめ用意したひな形を提供していることがあります。モノによっては有料だったりしますが、これらは情報デザインのアイディアとして著者権を主張できるのでしょうか？　デジタルデータの著作権については、NFT によって今後は扱いやすくなるかもしれませんが、デザインのテンプレートを独自に作成した場合に、それが著作物とみなされるかどうかについてはよく考えないといけません。

例えば、誰かが公開しているテンプレートを改良して別の新しいテンプレートを作成するような場合があるとしましょう。一般に、このような無料配布のテンプレートでは、配布元が利用規約に「無断で変更や加工が可能」などと書いてあると思います。もしそこに「加工したものを配布は不可」という文言が書かれていれば、個人で利用するのにとどめればよいのです。

見栄えが良く、情報が整理されている Web ページを参考にしたくなることは誰でもよくあると思います。では、Web ページで使われている**スタイルシート**（CSS）をそっくりそのまま使うのは著作権の問題はないのでしょうか？　Web サイトによっては、内容をコピーできないように設定しているものがありますが、Web ブラウザが Web サイトを表示する以上、ダウンロードして HTML のソースコードを読み込んでいるので、それを見ることができないように保護するようなことは通常はできません。サーバ上で動作しているアプリケーションの場合は、動作しているプログラムのソースコードを見られないようにできますが、Web デザインのソースコードは見られ放題なのです。

さて、CSS に著作権があるか無いかの答えですが、正解は「無い」と考えてよいでしょう。通常、プログラムのソースコードの著作権の有無は、コンピュータに一定の動作をさせるための命令を組み合わせたものに対して独自性があるかどうかで判断されます。CSS の場合には、命令を組み合わせているのではなく、命令に必要なパラメータなどのデータを与えているだけと考えられるため、著作権があるとは判断できません。

感性情報デザイン

情報デザインにおいては、情報の受け手側のことを考えて、人間／ユーザ中心のデザインを考える必要がありました。あるデザインに対して「使いやすい」や「使い心地が良い」などという評価をするとき、なぜ使いやすいのかを言葉で言い表すのが難しかったり、曖昧にしか表現できないといった経験はないでしょうか。知らず知らずのうちに、「こっちの方が良い感じがする」という判断を下して UI を選択しているのではないでしょうか。

私たちは、物事を見たり聞いたりしたときに感じた印象を重視し、その時、場所、状況に適した情報デザインを選択していることがあります。もちろん、使いやすさや印象にはその原因や理由が存在していますが、「何となく使いやすい」「何となく使い心地がよい」「何となく印象が良い」といった判断をしていることの方が多いかもしれません。新しいデザインを生み出すとき、デザイナーは自分の感性をもとに潜在的な判断をしていると考えられます。それなら、あらゆるデザインは感性をもとに創られているのだから、すべて「感性デザイン」と言ってよいのでしょうか？　人の感性はそれぞれ異なるものであり、それぞれの感性に沿った情報デザインは、100 人いれば 100 通りできると考えることができます。情報デザインは、ユーザに対して使いやすいものを考える必要があると言いましたが、100 人それぞれが良いと思うデザインが異なるとすれば、それぞれの人に適した情報デザインを作らないといけないということでしょうか？　本来であればそれがベストなのですが、個人の感性を他人が把握することは困難ですし、感性は変化するものでもあるので、すべての人に対応させることは不可能と言えます。

ではここで、感性が似通った人が選択した情報デザインを推薦する方法を考えてみます。情報推薦において**協調フィルタリング**という有名な技術があります。協調フィルタリングでは、あるアイテム（商品やWebページなど）をあるユーザが購入したり、高評価したりした情報を蓄積していくことで、また別の感性が似ているユーザに対して、まだ購入していない／閲覧していないのアイテムの推薦を行います。これは、似たような嗜好を持つユーザ同士なら同じ商品やWebページを好む可能性が高いという仮定に基づいています。この協調フィルタリングは、過去の購買行動や閲覧履歴をある程度の量、蓄積しておかないと推薦ができません。また、個人の嗜好は時間経過とともに変化しますので、なるべく直近の履歴に基づく必要があります。協調フィルタリングのような情報推薦の方法では、表面的にユーザの嗜好（好み）を捉えることはできるかもしれませんが、個々の感性を十分に反映しているものとは言えません。なぜなら、人の感性は十人十色で、部分的に嗜好が類似するだけでは、まったく同じ感性になることは通常あり得ないからです。感性を科学的、工学的に扱うということは、感性がどのようなものかを定義し、理解しなければなりません。

感性デザインとは、その名の通り、人の持っている感性の情報に基づき、物事をデザインすることを意味しています。感性を工学的に扱おうとする「感性工学」という分野では、物事に対する人間の感性を数量的に計測できるようにすることで、ユーザの感性に適した製品開発などに活かすことを目的としています。また、感性デザインの分野では、ある感性を別の感性にするためにどのようなデザイン要素が必要であるかを明らかにしようとしています。従来のデザインにおいては、「便利な」「わかりやすい」「楽しい感じがする」といった曖昧なキーワードに従って、デザイナーが自分の感性でデザインをしてきました。これに対し、感性デザインや感性工学の分野においては、デザイナー個々の感性に任せずに、提示されるキーワードを数値化し、デザインに変換するようなしくみについて考えます。

これまでにない新しいUIやUXが確立されたとき、それを使ってアプリケーションを創りたいと考えてしまいがちです。しかし本来、UIやUXは、用途や使う人の感性に適合したものを選択しなければならないはずです。VRやARといった仮想現実の装置がいくら先進的だからといって、お年寄りや子ども、障がいを持っている人が使用する可能性があるアプリケーションに容易に導入することは、ユーザの立場を完全に無視してしまっていると言えます。人の心に直接響くようなUIやUXを創りたいと思ったときに、必ずしも最新の機器や技術を使わなくても、伝えられる最適な方法があるかもしれないのです。例えば、紙媒体や立体的な構造物など実際に触れることのできる物体に、プロジェクターで映像を投影する**プロジェクションマッピング**という技術があります。こうした既存のものをうまく融合させた技術を使うことで、VRやARにこだわらなくても、視覚的に伝わりやすい情報デザインを実現できることもあります。

下の写真は、ソニービジネスソリューションズ株式会社が開発したプロジェクションマッピングを利用した「MEDICITY Imaginative Forest」の空間演出イメージです。調剤薬局の待合室に、複数台のプロジェクター

プロジェクションマッピングを使った情報デザインの例「MEDICITY Imaginative Fores」（ソニービジネスソリューション株式会社ニュースリリースより） https://www.sony.jp/professional/News/sbsc_info/2020/20200728.html

を用いて壁面や床などに自然の映像を投影するしくみになっています。さらに、**深度センサ**（➡P.132）を用いてリアルタイムに動体検知することで、その空間にいる人の動きを捉えて、風景をインタラクティブに動かす演出が採用されています。VR のように体験する人が何かを装着することを強制しないため、UI ／ UX の中に人が簡単に溶け込むことができ、また、待合室に自然の風景を再現することによって、来訪者の心配や緊張感を和らげる効果があります。空間デザインという点で、通常のアプリケーションやソフトウェアとは少し違いますが、ユーザの立場に立ってよく考えられた感性デザインだと言えます。

感性デザインが私たち人間の感性に適した情報デザインを考える上で重要な概念であることはわかってもらえたと思います。感性デザインをうまく利用すれば、私たちの身近にある情報デザインをより心地よく使いやすいものに変えていくことが可能です。ここで、感性は人それぞれであることを思い出してください。「万人受け」という言葉があるように、多くの人が心地よい、使いやすいと感じる情報デザインは存在するはずです。その一方で、大多数とは異なる感性を持つ人が少ないながらも存在します。そうしたマイノリティの感性にどのように対応していくとよいのでしょうか？

ノンバーバルな情報デザイン

私たちが言葉の通じない相手に対して情報を伝達しようとした際に、言語情報以外を使った表現を選択することがあります。まず、考えられるのが、ジェスチャーや目線、スケッチなど、視覚的に示す方法です。このようなコミュニケーションを**ノンバーバル・コミュニケーション**（non-verbal communication）と呼びます。ノンバーバルとは、非言語のことを指します。ノンバーバル・コミュニケーションにおいては、コミュニケーション対象となる相手と共通の情報伝達手段を選択します。

海外で、次のページにあるような記号が書かれた看板を見かけたことは

ないでしょうか？　これがピクトグラム（絵記号）です。看板に書かれている文字列から言葉の意味を理解することができなくても、文字を使用していないピクトグラムから大体の意味を理解することができるので、ノンバーバルな情報デザインと言えます。ノンバーバルな情報デザインにおいて最も重要なのは、情報発信者の伝えたい情報と受信者の受け取った情報が一致することです。お互いが共通の認識を持つことができるデザインを考えることが必要です。そのためには、情報の受信者のことをよく理解することが必要であることは言うまでもありません。

共感覚を考慮した情報デザイン

また、世の中には「共感覚（synethesia）」というある一つの刺激に対し、異なる種類の感覚が同時に生じる知覚を持った人がいます。例えば、文字「A」を見ると特定の色、例えば「赤色」が付いているように感じられる、また、何らかの音、例えば「ド」の音を聞くとその音と関連付けて、「苦い」味覚を感じるといったように、異なる感覚が同時に感じられるような現象のことを指しています。共感覚は無意識に起こり、本人が制御できないものであり、個人ごとに異なるが、その個人の中では一貫性を持っているものとされています。多くの場合、生まれたときから備わっていて、何かを記憶するために有効だったり、何らかの情動を伴うことがあります。「情動を伴う」とは、例えば、ある不快な音を聞いたときに嫌悪感を抱くといったことと似ていますが、事態はもう少し複雑です。仮に、ある特定の文字に対して色を感じる共感覚を持つ人が、その色を好きでない場合があるとしましょう。そのようなときに、自分の好みの色を感じる別の文字に書き換えてしまうとします。文字を変えるのですから、当然、指し示す意味が変わってしまいます。このように、共感覚を持つ人がどのように感じるかを共感覚を持たない人が理解できないとトラブルの原因になります。

SYNESTHESIA
0123456789

文字に対して色を感じる共感覚の例

共感覚を持っていたとされる著名な芸術家に、モーツァルト、ダ・ヴィンチ、ゴッホらがいます。彼らは、通常の感覚とは違うがゆえに、周りの人とのコミュニケーションにおいて苦労をしたかもしれませんが、優れた芸術作品を残しています。共感覚を持つがゆえに他の人にはない感性を芸術において表現できたのでしょう。

それでは、この共感覚を情報デザインに取り入れるにはどうしたらよいでしょうか？　共感覚を持つ人と共感覚を持たない人とで、共通の感覚が存在することがわかっています。こうした共通の感覚を見つけ出して情報デザインに応用できれば、より多くの人に受け入れてもらえるデザインを実現できるのではないでしょうか。

また、共感覚を情報デザインに取り入れたとき、もし万人に受け入れられなくても、従来にない斬新な印象を与えることにつながります。情報をいかにわかりやすく伝えるか、ということだけでなく、情報をよりインパクトのある形で伝える必要がある場合には、共感覚をヒントに情報デザインしてみるとよいかもしれません。

索引

【編者】
土屋誠司（つちや・せいじ）

同志社大学理工学部インテリジェント情報工学科教授、人工知能工学研究センター・センター長。同志社大学工学部知識工学科卒業、同志社大学大学院工学研究科博士課程修了。徳島大学大学院ソシオテクノサイエンス研究部助教、同志社大学理工学部インテリジェント情報工学科准教授などを経て、2017 年より現職。主な研究テーマは知識・概念処理、常識・感情判断、意味解釈。著書に『やさしく知りたい先端科学シリーズ　はじめての AI』『AI 時代を生き抜くプログラミング的思考が身につくシリーズ』（創元社）、『はじめての自然言語処理』（森北出版）がある。

【著者】
松本和幸（まつもと・かずゆき）

徳島大学大学院社会産業理工学研究部准教授。徳島大学工学部知能情報工学科卒業、徳島大学大学院工学研究科博士課程修了。博士（工学）。徳島大学大学院ソシオテクノサイエンス研究部助教、徳島大学大学院社会産業理工学研究部助教などを経て、2020 年より現職。同志社大学人工知能工学研究センター嘱託研究員。主な研究テーマは感性ロボティクス、感性情報処理、言語情報に基づく生活習慣情報分析、介護分野への応用を目指したマルチモーダル感情認識技術など。主な著書に『Python でゼロからはじめる　AI・機械学習のためのデータ前処理（入門編／実践編）』（科学情報出版、共著）がある。

本書に対するご意見およびご質問は創元社大阪本社編集部宛まで郵送か FAX にてお送りください。お受けできる質問は本書の記載内容に限らせていただきます。なお、お電話での質問にはお答えできませんのであらかじめご了承ください。

身近なモノやサービスから学ぶ「情報」教室 ❷
情報デザインとコミュニケーション
2023 年 7 月 30 日　第 1 版第 1 刷発行

編者　土屋誠司
著者　松本和幸
発行者　矢部敬一
発行所　株式会社 創元社
https://www.sogensha.co.jp/
〈本社〉〒 541-0047 大阪市中央区淡路町 4-3-6
Tel.06-6231-9010 Fax.06-6233-3111
〈東京支店〉〒 101-0051 東京都千代田区神田神保町 1-2 田辺ビル
Tel.03-6811-0662
デザイン　椎名麻美
印刷所　図書印刷株式会社

ISBN978-4-422-40082-2 C0355
Printed in Japan